Frank Schirrmacher
Das Methusalem-Komplott

Frank Schirrmacher

Das Methusalem-Komplott

Karl Blessing Verlag

Für Jakob und Rebecca

Umwelthinweis:
Dieses Buch und sein Schutzumschlag wurden
auf chlorfrei gebleichtem Papier gedruckt.
Die Einschrumpffolie (zum Schutz vor Verschmutzung)
ist aus umweltschonender recyclingfähiger PE-Folie.

Der Karl Blessing Verlag ist ein Unternehmen
der Verlagsgruppe Random House GmbH.

16. Auflage
Copyright © by Karl Blessing Verlag GmbH München 2004
Umschlaggestaltung: Neue Gestaltung Berlin
Satz: Uhl + Massopust, Aalen
Druck und Bindung: GGP Media, Pößneck
Printed in Germany
ISBN 3-89667-225-8
www.blessing-verlag.de

Inhalt

You can dye your hair
But it's the one thing you can't change.
Can't run away from yourself, yourself...
Funny how it all falls away.
So help the aged

Jarvis Cocker: »Help the aged«

Sie gehören dazu

Sie wissen es zwar noch nicht: aber Sie gehören dazu. Da Sie imstande sind, dieses Buch zu lesen, zählen Sie zu denjenigen, denen der Einberufungsbescheid sicher ist. Die große Mobilmachung hat begonnen. Im Krieg der Generationen sind Sie dabei. Sammeln Sie sich und seien Sie getrost: Sie gehören auf die Seite der Menschen, denen es in den nächsten Jahrzehnten aufgegeben ist, eine Revolution anzuzetteln.

Es klingt dramatisch, und das ist es auch. Tatsächlich ist unsere Lage unhaltbar geworden. Noch befestigen wir unsere Rettungshaken am Alltag. So schlimm, sagen wir, kann es nicht sein. Der Nachrichtensprecher liest die Nachrichten und flüchtet nicht verstört aus dem Studio. Die Redakteure schreiben ihre Leitartikel und Kolumnen. Die jungen Leute auf der Straße sind zivil und umgänglich. Mütter schieben ihre Kinderwagen. Man hört noch keine Einschläge, die Front, sagen wir, ist noch fern.

Am Horizont der Zukunft aber baut sich eine der erbittertsten Streitmächte gegen die Alten auf, die es je gegeben hat. Sie marschiert auf uns zu, die wir heute 20, 30 oder 60 Jahre sind, denn wenn der Krieg beginnt, werden wir die Älteren sein. Und die Gesellschaft, die wir geschaffen haben, nimmt dem Alternden alles: das Selbstbewusstsein, den Arbeitsplatz, die Biographie. Unsere Lebensentscheidungen basieren auf Grundrissen und Daten eines vergangenen Jahrhunderts. Gingen wir mit dem Raum so um wie mit unserer Lebenszeit, würden wir mit Postkutschen reisen.

Wir müssen jetzt handeln. Nur noch wenig Zeit trennt uns selbst von der Stigmatisierung. Bis dahin sollten wir die Vorstellungen des Alters aus der Steinzeit – wo sie jetzt sind – in die Zukunft geholt haben. Es geht um nichts weniger als eine Revolution, vergleichbar mit den großen Befreiungsbewegungen der Vergangenheit.

Im Augenblick sammeln wir noch kritische Masse. Wenn in fünf bis zehn Jahren der Punkt des Umschlagens erreicht ist, wird wie mit Zauberhand eine veränderte Gesellschaft im Gesichtskreis jedes Einzelnen erschienen sein. Wie oft berichten Menschen von der Plötzlichkeit, mit der das Alter sie wachrüttelt. Ungläubig schlägt man die Augen auf, als wäre man nicht seit Jahren vorgewarnt, und plötzlich ist man alt. So wird es unserer Gesellschaft ergehen. Die unerschütterliche Logik der Abreißkalender sagt uns, dass die Drohung mit jedem neuen Geburtstag für uns alle wächst. Und doch tun wir so, als wäre es nicht unsere Zeit, die gerade abläuft.

Es ist die Erfahrung, die Ihnen seit Kindesbeinen vom Straßenverkehr geläufig ist. Irgendwann fahren nur noch die jeweils neuesten Modelljahrgänge herum, und gerade diese Abfolge präpariert für uns das Gefühl vergehender Zeit. Der Opel Rekord von 1962, die Ente von 1968 und der VW-Käfer sind wie die Ziffern auf einem Kalender. Uns geschieht das Gegenteil: Immer mehr Menschen bleiben immer länger beieinander, und die Zeit scheint stillzustehen. Viele von uns werden gleichzeitig mit ihren Eltern, Großeltern und Urgroßeltern auf der Welt sein. Zum ersten Mal entsteht etwas, was in der Evolution nicht vorgesehen, ja von ihr mit allen tödlichen Tricks verhindert werden sollte: eine nicht mehr fortpflanzungsfähige Gruppe, die ihren biologischen Zweck längst erfüllt hat, nicht mehr repariert wird und von der Natur auf Abruf gestellt wird, bildet die Mehrheit innerhalb einer Gesellschaft. Zum ersten Mal in der Menschheitsgeschichte wird die Zahl der Älteren größer sein als die der Kinder.[1]

Sammeln Sie sich und seien Sie getrost, denn Sie gehören auf die Seite dieser Älteren. Wir alle haben die große Aufgabe unseres Lebens noch vor uns. Wir werden vielleicht schwächer sein als jetzt, aber wir werden in der Überzahl sein.

Es geht um unsere Seelen, aber es geht nicht um Sentimentalitäten. Es geht um unser Selbstbewusstsein und unsere Sicherheit und damit um die Stabilität der Gesellschaft, in der wir leben werden. Und es geht um Eigennutz auch im Interesse der kommenden Generationen. Die Diskriminierung des Alterns und des Alters wird weltweit zu einem ökonomischen und geistigen Standortnachteil. Im Jahre 2050 werden allein in China so viele über 65-Jährige leben wie heute auf der ganzen Welt.[2] Angesichts solchen Wachstums an Alter wird jene Gesellschaft am erfolgreichsten sein, deren religiöse oder kulturelle Überzeugungen das Alter schöpferisch machen können. Wir sind, so paradox es klingen mag, als Alternde in einer alternden Gesellschaft zugleich Anführer und Opfer einer neuen Globalisierungswelle. Im Kern geht es um das Bestreben jedes einzelnen Menschen auf dieser Welt, so lange leben zu können wie möglich. Das ist das eine. Das andere aber ist das wachsende Bedürfnis der Welt, den Menschen genau dieses Bestreben auf mehr oder minder deutliche Weise auszureden. In manchen Ländern dieser Erde nimmt man den Älteren Haus, Hof und Nahrung; in anderen Gesellschaften, zu denen wir gehören, beraubt man sie des Selbstbewusstseins und der Lust am Leben.

Auch mit der Umwälzung all unserer Erfahrungen, Werte, Erkenntnisse ist es nicht getan. Was wir für richtig und gut halten, was wir Erfahrung nennen, was uns groß und stark gemacht hat – all das zerreiben die Walzen des Alterungsprozesses. Er ist der rücksichtslose Gleichmacher. Denn was zählen vergangene Erfolge, Schönheit, Lebenserfahrung und selbst Reichtum im Zeichen des Alters? Wie die Hobbits im Auenland leben wir ahnungslos dahin, bei Spiegeleiern, Pfeifentabak und all dem, was zur Wärme des Lebens gehört. Aber am Horizont zeigt sich schon die neue Macht, die unser Leben und unsere Lebensform für immer ruinieren will.

Nehmen Sie es ernst: Es geht um die Hälfte Ihres gelebten Daseins, um eine Lebensspanne, die mindestens so lange dauert wie Geburt, Kindheit, Jugend und Ausbildung. Vergessen Sie all die Fehlalarme der letzten Jahrzehnte. »Anders als etwa bei der Klimakatastrophe, kann es keinen Zweifel geben, wann und wo das globale Altern beginnt«, schreibt der ehemalige amerikanische Wirtschaftsminister Peter G. Peterson, und die Bevölkerungsforscher geben ihm Recht. Unser Altern wird nicht gemütlich sein. Es wird keine Ohrensessel, Kaminfeuer und Vorratskammern geben. Wir können nicht zu Hause bleiben. Wir müssen losziehen, solange wir noch stark und selbstbewusst sind. Selten hat eine Gesellschaft so klar sagen können wie die unsere: Wir müssen in den nächsten 30 Jahren ganz neu lernen zu altern, oder jeder Einzelne der Gesellschaft wird finanziell, sozial und seelisch gestraft. Es geht um die Befreiung jenes unterdrückten und unglücklichen Wesens, das wir verdrängen und das heute noch nicht existiert. Es geht um unser künftiges Selbst.

Unsere Zukunft

Kein Mensch wird gerne alt. Diese persönliche Empfindung wird in den nächsten fünf Jahrzehnten auf nie gekannte Weise zu einer öffentlichen, die individuelle Verwundung durch das Altern wird zu einer Massenerscheinung werden.

Jeder, der jetzt schon älter ist als Mitte 30, kennt die privaten Tragödien: Er beginnt in unserer Gesellschaft zu leiden. Er leidet an seinem Aussehen, am Arbeitsmarkt, an ersten Leistungseinbußen und Krankheiten, an der Sterblichkeit schlechthin.

Es gibt ein Leiden, das uns der älter werdende Körper verursacht. Wie ein Auto, das einmal der Stolz der Straßen war und alle Blicke auf sich zog, nun, im Laufe seines Älterwerdens seinem Besitzer zwar noch nützlich, aber zunehmend eine Last und sogar peinlich wird; und gewiss kennen Sie die Modelle, die mit Spoilern und zusätzlichen Scheinwerfern jene Kraft und Jugend ausstrahlen sollen, die sie laut Zulassung längst verloren haben. Aber es gibt ein noch gefährlicheres Leid, das die Gesellschaft dem alternden Lebewesen bereitet. Sie jagt das alternde Auto auf der Autobahn, wenn es nicht freiwillig zur Seite geht, sie stört sich an seinen Geräuschen, sie hält es für eine Umweltbelastung und entzieht ihm am Ende aus Sicherheitsgründen die Zulassung, auf öffentlichen Straßen und Plätzen in Erscheinung zu treten. Wir brechen den Vergleich hier ab; es reicht zu wissen, dass wir aus Gründen, auf die wir später eingehen werden, Verachtung und Wut herausfordern, wenn wir uns in einem alten oder verbrauchten Körper, Gehäuse oder Kostüm bewegen.

Wer heute lebt, nimmt an einem in der Menschheitsgeschichte einzigartigen und von uns allen nicht vorhersehbaren Abenteuer teil. Nicht nur Menschen, ganze Völker werden altern. Die Bewohner des alten Europa erleben dabei ein besonderes Paradox, nämlich den Angriff von zwei Fronten. Sie leben länger, und sie bekommen weniger Kinder. Die Bevölkerungsdynamik wird vom Sterben geprägt sein, nicht mehr von der Geburt. Gesellschaft und Kultur werden so erschüttert sein wie nach einem lautlosen Krieg. Deutschland wird älter und zahlenmäßig schwächer werden – nach Schätzungen der UN im Jahre 2050 um zwölf Millionen Menschen. Das sind mehr als die Gefallenen aller Länder im Ersten Weltkrieg. Im Tierreich wäre diese Population zum Aussterben verurteilt. In der Anthropologie nennt man solche Arten: lebende Tote.

Politik zählt nicht, jedenfalls nicht im Augenblick. Die politische Lebensspanne beträgt 46 Monate, die Dauer einer Legislaturperiode. Gegen den Rat der Bevölkerungswissenschaftler rechnet sie sich mit der Lebenserwartung der Menschen reich – sie setzt sie niedriger an und gewinnt damit in der Gegenwart Luft zum Atmen. Peter G. Peterson berichtet in einem Artikel für *Foreign Affairs*, wie die Politiker im 20. Jahrhundert auf das unmittelbar bevorstehende Problem unserer kollektiven Alterung zu reagieren pflegten. »Von privaten Gesprächen mit den Regierungschefs der großen Wirtschaftsmächte kann ich bestätigen, dass sie alle sehr genau darüber Bescheid wissen, welche erschreckenden demographischen Trends sich ankündigten. Aber bislang wirken sie wie paralysiert.« Petersons Aufsatz, der sich noch heute wie das Manifest einer alternden Welt liest, ist, wie wir sehen werden, nicht zufällig dort erschienen, wo einige Jahre zuvor ein Text publiziert wurde, der die amerikanische Politik tief greifend verändern sollte: Samuel Huntingtons *Clash of Civilizations*, der nach dem Ende des Ost-West-Konflikts einen neuen Krieg der Kulturen, einen existentiellen Konflikt zwischen einem fundamentalistischen Islam und einem technologisch-säkularen Westen heraufziehen sah.

Wir helfen den Politikern bei ihrem kollektiven Selbstbetrug durch unsere merkwürdige vorauseilende Koketterie mit dem Tode. Aus irgendwelchen Gründen tun wir nämlich so, als wären wir nicht gemeint. Viele glauben, sie erleben diese Zukunft nicht mehr. Andere misstrauen grundsätzlich der Demographie, obgleich die Gegenstände der Berechnung – die geborenen Menschen – ja schon mathematische Tatsachen geworden sind. Nicht nur die Politik, wir selbst rechnen uns unsere Lebenserwartung herunter, gerade so, als könnten wir die letzten Lebensjahrzehnte nur im Nebel ertragen. Jeder, der lesen kann, weiß, dass das Problem unserer Zukunft als Europäer und als Deutsche das gleiche Problem ist, das wir als Individuen haben: das Problem unserer gestiegenen Lebenserwartung. Wir aber, als gelte es einen aufkeimenden Verdacht zu zerstreuen, beeilen uns ungefragt, jedermann zu versichern, dass wir so alt gar nicht werden wollen.

Seien Sie – merkwürdige Bitte – einmal für einen Augenblick ganz und gar Egoist. Vergessen Sie für einen Augenblick die Altersrhetorik, die sich in Wendungen wie »So alt will ich gar nicht werden« und ähnlichen rhetorischen Ersatzhandlungen manifestiert – ein innerer Selbstabschaffungs-Monolog, auf dessen tiefere Ursachen wir noch zu sprechen kommen werden –, übersetzen Sie einfach in Alltagssprache, was Ihnen heute über Altern, Alter, Rente, Demographie ans Gehör dringt. Das Ergebnis dieser Übersetzung lautet: Ihr eigenes Altern, nicht das abstrakte Altern des statistischen Bundesamtes, wird bereits heute als Naturkatastrophe behandelt.

Die Rechenfehler der Politik sind verheerend für die wirtschaftliche Planung des Einzelnen wie für die Zukunft aller.[3] In Wahrheit werden schon bald, wie das statistische Jahrbuch des *Spiegel* meldet, die ersten Lebenszeitmillionäre auftauchen. Im Alter von 114 Jahren hat ein Mensch eine Million Stunden gelebt. Uns wird die Paranoia der reichen Erblasser befallen, weil wir nichts anderes zu vererben haben als die Befreiung der Erde von unserer Existenz. In den Mienen und im Augenspiel der wenigen Jungen lesen wir das Urteil oder den Vorwurf, die Hoffnung oder Frage, in jedem Fall die Erinnerung an unser großartiges Versprechen: Warum seid ihr nicht tot?

Und dann sind da noch die Kinder der Kinder, jene, die ab dem Jahre 2025 zur Welt kommen müssten. Unsere Enkel. »Geschlagen ziehen wir nach Haus, die Enkel fechten's besser aus.« Der Spruch aus dem Bauernkrieg, von dem uralten Philosophen Ernst Bloch populär gemacht, galt immer als Beispiel dafür, wie die Abfolge der Generationen Zukunft schafft. Wir werden *nicht* sein: ein Volk von Großvätern und Großmüttern. Wenn Sie an Schaukelstühle, Märchen und den Strickstrumpf denken, sind Sie in einem falschen Jahrhundert. Es wird zwar noch Großeltern geben, aber viel weniger Enkel. Der Soziologe Peter Schimany spricht bereits von einem »historisch neuen Knappheitsverhältnis«, in dem es zu einem Mangel an Verwandten überhaupt, insbesondere aber zu einem Verschwinden der Enkel kommt. Die Großelternrolle, mit der so viele Ältere früher ihre gesellschaftliche Nützlichkeit unter Beweis stellen konnten, wird seltener gespielt werden können. Viele Großeltern teilen sich wenige Enkel.[4] Die 12-Jährigen von heute werden einmal nicht nur die am stärksten besetzten Jahrgänge der 60-Jährigen sein. Sie werden in einer Gesellschaft leben, in der die 80-Jährigen und Älteren nicht mehr wie heute vier Prozent (3,2 Millionen), sondern

16

zwölf Prozent der Bevölkerung (9,1 Millionen) stellen. Die Hälfte des Landes wird älter als 48 Jahre alt sein, nach anderen Berechnungen sogar älter als 52 Jahre.[5] Das ist eine Gesellschaft, die fast nichts mehr mit der heutigen zu tun haben wird. Sie wird noch über die gleichen Autobahnen und Eisenbahnschienen verfügen, aber ihre seelische Infrastruktur – die Beziehungen zwischen den Generationen – wird völlig verwandelt sein.

Die gesprengten Fesseln der Lebenserwartung

Unser Alltags- und politisches Bewusstsein unterschätzt nicht nur das Ausmaß des demographischen Bebens, sondern auch die Geschwindigkeit, mit der sich die Risse in unserer Welt zeigen werden. Der Eintritt der Babyboomer ins Rentnerdasein wird in der ganzen westlichen Welt einen Altersschub auslösen und wie ein nie verglühender Raketentreibsatz über Jahrzehnte Millionen von Menschen, Einzelne, die sich zu ganzen Völkern summieren, über die Datumsgrenze des 65. Lebensjahrs katapultieren; nicht nur in eine neue ökonomische und soziale, sondern auch in eine fremde seelische Welt. Den Countdown dieser gewaltigen Mission haben die amerikanischen Bevölkerungsinstitute mit großem Alarm vordatiert: »In den USA haben die Versuche, den Terrorismus zu bekämpfen, andere eminente soziale Probleme in den Hintergrund gerückt. Aber die Uhr tickt, und die Babyboomer nähern sich der Pensionierung... Bisher glaubte man, dass die ersten Boomer im Jahre 2011 in den Ruhestand treten, und die Alterswelle uns dann erst erreicht. Heute ist die Annahme realistischer, dass die erste Welle uns bereits im Jahre 2008 trifft.«[6]

Übersetzt man sich die Schätzungen in Bilder, dann wird die

Erde wie ein riesiges Altersheim durchs Weltall kreisen.[7] Wie viel Senilität, Vergesslichkeit, Altersdemenz, wie viel Krankheit wird in diesem kollektiven Bewusstsein sein? Wie viel Angst und schlechtes Gewissen, Selbsthass und – Hass?

In den USA wird alle 7,5 Sekunden ein Babyboomer 50. Alle 7,5 Sekunden ereignet sich eine Mikrokatastrophe. Alle 7,5 Sekunden bekommt das Leben, in den Worten Mark Aurels, schlechte Gesellschaft. Die Babyboomer, die zwischen 1950 und 1964 geborenen Generationen, werden spätestens in dem Moment, in dem sie in Rente gehen, die ganze westliche Welt in einen Ausnahmezustand versetzen.

Dessen revolutionäre Sprengkraft kann die Statistik nicht erfassen. Wie jeder weiß, ist die Statistik seelenlos. Sie nennt den alt, der in Rente geht. Der Altenquotient beziffert das Verhältnis von Ernährern und Ernährten. Aber die Geister des Alterns kommen viel früher als der Bescheid der Rentenanstalt, ja, sie siedeln sich oft schon Jahrzehnte vorher im Seelenhaushalt der Menschen an, erst noch versteckt in den dunkelsten Nischen des Kellers, bald zwischen Schränken und hinter Spiegeln, schließlich beherrschen sie das Haus und alle seine Versorgungskanäle.

»Die Verteilungskämpfe der Zukunft«, sagen kurz und bündig die Statistiker, »werden um Rente und Altenheimplätze ausgetragen werden.«[8] Aber um noch viel mehr: um den Zugang der Alten zu jungen Menschen in Ländern wie Deutschland, in denen die Menschen nicht nur länger leben, sondern immer weniger Kinder geboren werden. Neue Erfahrungen, die sich daraus ergeben, werden zur kostbaren Ressource. Das Ausmaß der Veränderung hat selbst die nüchternen Bevölkerungsmathematiker der Vereinten Nationen zu der Feststellung veranlasst, dass von hier und heute eine neue Phase der Weltgeschichte ausgeht. Mit der Autorität des einsamen Propheten hat der Philosoph und Ethnologe Claude Lévi-Strauss gesagt: »Im Vergleich zur demographischen Katastrophe ist der Zusammenbruch des Kommunismus unwichtig.«

Man denkt so, wie wir angesichts all der Fehlalarme und routinierten Apokalypsen zu denken gelernt haben, und sagt: Ich bin heute 20, 30, 40 Jahre alt – und das Jahr 2020 ist fern. Warum nicht, wie so oft in der Vergangenheit, die richtige Antwort durch Abwarten herausfinden?

Darin aber liegt das schlechthin Einzigartige unserer Situation: Wir können sie nicht, wie die vielen Generationen vor uns, ignorieren. Wir werden einberufen, ob wir wollen oder nicht. Dass Sie fürs Alter Geld zurücklegen sollen, je eher, desto besser, ist ja nur das ökonomische Zwiegespräch, das Sie mit Ihrem künftigen Ich führen. Andere Formen der Kontaktaufnahme mit dem, was wir sein werden und was die Gesellschaft aus uns macht, werden folgen. In den nächsten Jahren werden wir die Spuren des Alterns nicht nur an unseren Körpern, sondern an unserer Umwelt studieren. Als vor einiger Zeit Förster in der Muskauer Heide kurz nacheinander zwei Rudel Wölfe entdeckten, meldeten sich nicht Naturschützer, sondern auch die Bevölkerungsforscher zu Wort.[9] Das Berliner Institut für Weltbevölkerung sagte voraus, dass die Tiere nicht nur an den östlichen Nebelrändern des Landes eindringen, sondern in den nächsten Jahren auch die sich zunehmend entvölkernden Bezirke im Zentrum, etwa im Thüringer Wald, erobern werden. Die Natur kehrt zurück, wenn der Mensch geht. Im Westen, etwa im Pfälzerwald, wurden Luchse gesichtet, die aus den durch Landflucht verwaisten Gegenden Frankreichs stammen.

Tatsächlich hat die Veränderung auch in der Zivilisation schon begonnen. Schulen werden geschlossen, Arbeitszeiten verlängert, Renten gekappt, Dörfer verlassen. Die Politiker bedauern den Geburtenrückgang, wissen es und sagen es aber nicht, dass nur eines geht: Ausbildungskosten durch viele Kinder oder Rentenzahlungen an viele Ältere. Popstars überleben nur, wenn sie im Familienprogramm erfolgreich sind, und wenn sie es nicht sind, treten sie wie die Osbournes selber als Familie auf und balancieren vor einem weltweiten Publikum auf einem schmalen Grad zwischen Scharfsinn der Jugend und Altersdemenz; Bevölkerungsstatistiker verzeichnen keine Geburten, sondern nur noch Lebenszeitrekorde und Todesfälle – und das alles ist erst der Beginn, spielt sich jetzt ab, ein paar Jahre vor jener Zäsur, da in unserer Gesellschaft immer mehr Ältere und schließlich mehr Ältere als Junge leben werden.

Wenn wir unser Bewusstsein jetzt nicht für diese zukünftige Lage schärfen, geht es uns wie den Erwachsenen aus den Siebzigerjahren. Die fielen aus allen Wolken, als sie erfuhren, dass unsere Industrien die Umwelt vergiften, Bodenschätze zur Neige gehen können und es Grenzen des Wachstums gibt. 30 Jahre lang hat diese Botschaft des »Club of Rome« vermutlich jeden einzelnen Tag in unser aller Leben auf die eine oder andere Weise bestimmt, und sei es nur durch ein schlechtes Gewissen und die Thermostate an unseren Heizungen.

So wird es mit dem globalen Altern sein. Von einem gewissen Zeitpunkt an wird es färben und prägen, was immer wir tun und denken – es wird uns verdoppeln: in die, die heute da sind, und in die, die im Alter da sein werden. Eine neue Art der Vorsorge wird sich einstellen, vorbereitende Sicherungsmaßnahmen an Geist, Seele und Körper für eine gebrechlicher werdende Population. Und es werden in unserer synchronisierten Gesellschaft zwei auseinander strebende Zeiten entstehen, die der wenigen Jungen und die der vielen Alten.

Es geht aber nicht nur um die Rechenfehler der Politik. Es

geht um unsere eigenen Rechenfehler. Wir rechnen uns nämlich buchstäblich zu früh zu Tode. Wir, die wir gelernt haben,
jede Sekunde zu nutzen und jede Verspätung zu ahnden, sind
im Begriff, uns auf tragische Weise in dem Einzigen zu ver-
rechnen, was zählt: in der Summe unseres Lebens. Deprimiert,
wie wir in den letzten Jahren geworden sind, kleinmütig und
pessimistisch, sind wir offenbar außerstande, den Sieg der
Langlebigkeit zu feiern. Wir hätten Grund: Die weibliche Lebenserwartung hat sich in den letzten 160 Jahren um jährlich
drei Monate erhöht. 1840 hatten Schwedinnen mit 45 Jahren
die längste Lebenserwartung aller Frauen. Heute kommen Ja-
panerinnen im Schnitt auf 85 Jahre. Und es ist kein Ende in
Sicht.[10]

Weil wir unvorbereitet sind, werden wir in unmittelbarer
Zukunft nicht nur eine politische, ökonomische, sondern
auch eine geistige Krise erleben.

Lebenserwartung wird ein Schlüsselbegriff unserer Epoche
werden. Er umreißt nicht nur, wie lange wir aller Wahrscheinlichkeit nach leben werden. Er beziffert, dass die Mehrheit der
heute lebenden Erwachsenen und Kinder viel länger leben wird
als je Menschen zuvor. Das gilt nicht nur für uns, deren verlängerte Lebenserwartung nach Auskunft der Demographen
die Sozialsysteme erschüttern wird. Es gilt noch mehr für
unsere Kinder: Jedes zweite kleine Mädchen, das wir heute auf
den Straßen sehen, hat eine Lebenserwartung von 100 Jahren,
jeder zweite Junge wird aller Voraussicht nach 95.[11] Es handelt
sich, wenn diese Entwicklung anhält, nicht nur um Veränderungen in den Geburts- und Sterberegistern; es handelt sich um
eine neue anthropologische Lage noch zu unser aller Lebzeiten.[12]

150 Jahre nach Beginn der technischen Moderne muss der
Mensch den Preis seiner fehlenden Anpassung zahlen. Wir

haben Kriege und Bürgerkriege geführt, weil wir mit den Fort-
schrittsdebakeln der Moderne nicht zurecht kamen, aber jetzt
geht es um einen Krieg, den wir mit uns selbst führen, mit dem
Menschen, der wir im Alter sein werden. Man hat niemals
prähistorische Skelette von Menschen gefunden, die älter als
50 Jahre geworden waren. Die menschliche Lebenserwartung
betrug in 99,9 Prozent der Zeit, die wir diesen Planet bewohnt
haben, 30 Jahre.[13] Jetzt müssen wir innerhalb einer einzigen
Generation einhunderttausend Jahre alte Prägungen unseres
Körpers *und* unserer Kultur überwinden.

Sagen wir offen, was seit den 90er Jahren des 20. Jahrhunderts in unzähligen seriösen Studien erst sehr betreten einge-
standen und schließlich mit zunehmender Verblüffung postu-
liert wurde: Wir wissen nicht mehr, ob es überhaupt eine
zeitliche Grenze für das menschliche Leben gibt. Wir wissen,
dass die Französin Jeanne Calment mit 122 Jahren der älteste
Mensch war, der authentischen Zeugnissen zufolge je auf Erden gelebt hat. Aber nichts spricht dafür, dass dieses Alter eine
absolute Grenze wäre.[14] Anfang 2002 veröffentlichte James
Vaupel, Direktor des Max-Planck-Instituts für Demographische Forschung und einer der weltweit renommiertesten Bio-
demographen, in der Zeitschrift *Science* einen Aufsehen er-
regenden Artikel mit der Überschrift »Die zerbrochenen
Grenzen der Lebenserwartung«. In der Studie wirft Vaupel
den Regierungen vor, dass sie noch immer an eine fixierte und
also letztlich begrenzte Lebensspanne des Menschen glaubten.
Dadurch verschätzten sie sich auf dramatische Weise. Während etwa die US-Regierung für die nächsten sieben Jahrzehnte nur mit einem Anstieg der Lebenserwartung auf höchstens 83,9 Jahre rechnet, prognostiziert Vaupel eine Lebenserwartung bei Frauen von 101,5 Jahren.[15]

Gerade den Jüngeren unter den heute lebenden Bewohnern

der Industrienationen müsste mulmig werden angesichts des Umstands, dass ihre Regierungen die Zukunftsbilanzen dadurch schönen, indem sie die Lebenserwartung der Menschen so niedrig ansetzen. Das kann nur heißen: Die heute 30- bis 50-Jährigen müssen rechtzeitig sterben, damit die Rechnungen aufgehen. Unserer gestiegenen biologischen Lebenserwartung steht eine gesellschaftliche Sterblichkeitserwartung gegenüber. Sie lautet: stirb rechtzeitig. Was die Lage noch prekärer macht, ist die Tatsache, dass die Erfolgsgeschichte der Langlebigkeit offenbar gerade erst begonnen hat. In ihrer von der Max-Planck-Gesellschaft und vom National Institute on Aging finanzierten Studie haben Vaupel und sein Kollege Jim Oeppen Daten aus Australien, Island, Japan, den Niederlanden, Norwegen, Schweden, der Schweiz und den Vereinigten Staaten ausgewertet, mit dem Ergebnis, dass wir Heutigen Zeugen einer Lebenszeitrevolution werden. Die Lebenserwartung von Europäern und Amerikanern wächst jährlich um drei Monate. 100-Jährige werden für heute schon Lebende zum Normalfall. Es gibt kein Indiz, dass es überhaupt eine Grenze der Lebenserwartung gibt. Und selbst wenn es sie geben sollte: Wir sind offenbar noch nicht einmal in der Nähe des Maximums.[16] Die Lebenserwartung des Menschen ist eine steil in den Himmel vorstoßende Linie und seine Lebensspanne womöglich ohne fassbare Grenze. (Die Grafik auf S. 24 zeigt, dass man die statistische Länge des menschlichen Lebens durchweg unterschätzt hat.)

Lebenserwartung ist nicht nur eine Zahl; sie ist die Erwartung, die wir in einer Gesellschaft haben werden, die aufgrund ihres langen Lebens mit der biologischen Uhr in Konflikt gerät und aufgrund ihres langen Alters sehr lange sehr nahe und näher kommend am Tode lebt.

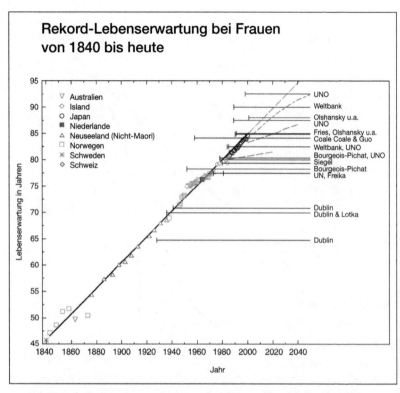

Rekord-Lebenserwartung bei Frauen von 1840 bis heute

Der Trend, die Regressionslinie, ist als schwarze durchgehende Linie gezeichnet, der in die Zukunft weiterverlängerte (extrapolierte) Trend als durchgestrichene graue Linie. Die horizontalen schwarzen Linien zeigen die jeweils postulierten Höchstgrenzen der Lebenserwartung, wobei der dazugehörige vertikale Strich das Jahr der jeweiligen Publikation angibt. Die gestrichelten Kurven stellen die von den Vereinten Nationen in den Jahren 1986, 1999 und 2001 projizierten Lebenserwartungen japanischer Frauen dar. Sie zeigen, wie radikal die Vereinten Nationen ihre Schätzungen zwischen 1999 und 2001 korrigiert haben. (Quelle: Vaupel, 2002)

Wenn die Mehrheit einer Gesellschaft zu den Älteren gehört, schwindet automatisch die Ressource Zukunft. Noch bis weit in die 80er Jahre des vergangenen Jahrhunderts gab

24

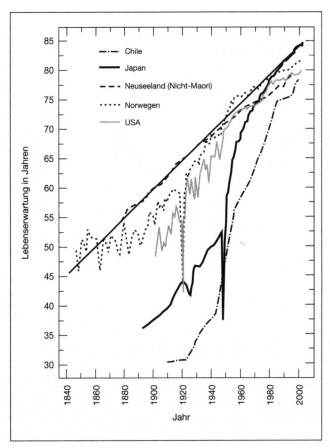

Weibliche Lebenserwartung in Chile, Japan, Neuseeland (Nicht-Maoris), Norwegen und den USA im Verhältnis zur Rekord-Lebenserwartung (durchgezogene schwarze Linie). (Quelle: Vaupel, 2002)

es Formulare und Briefbögen, auf denen zur Erleichterung des Benutzers die »19« der Jahreszahl schon vorgedruckt war, so als würden weder Papier noch Benutzer das 20. Jahrhundert überleben. Das sind in gewissem Sinn die Vordrucke der alternden Gesellschaft. Die Grenzen des Wachstums sind für die Dauer, da die Jungen von den Älteren beherrscht werden, die Grenzen der Zeit.

Diese geistige Krise ist keine, die für Sonntagsreden taugt. Sie wird unser Verhältnis zum Leben ändern. Es wird eine faktische und physiologische Krise der alternden Gehirne, der fünf Sinne und des Selbstbewusstseins sein. Jährlich werden zum Beispiel mehr Menschen ihren Gefühlen und ihrem Verstand misstrauen, finanzielle Ängste werden zunehmen, auch wenn es keinen realen Grund gibt, Angst vor Gehirnschwäche und Alzheimer wird sich allein in den USA wie ein grauer Nebel über die Seelen von schätzungsweise 70 Millionen Menschen legen und deren Verhalten steuern.[17]

Wir kennen die Jugend, wir alle haben sie selbst durchlebt. Wir beobachten, belächeln, beneiden die Jugendlichen und versuchen, sie zu kopieren. Alle Kulturen kannten die Jugend, weil alle Menschen jung waren, aber die wenigsten kannten das Alter. Alter ist in der Kultur- und Evolutionsgeschichte unserer Gesellschaft etwas sehr Junges: Es war immer eine Lebensunwahrscheinlichkeit und die Erfahrung einer Minderheit. Forschungen aus diesem Bereich sind keine 50 Jahre alt. Kundschafter aus diesem Gebiet gibt es kaum. »Die älteren Menschen von heute«, schreibt der Biologe Tom Kirkwood, »bilden die Avantgarde einer unerhörten Revolution unserer Lebensdauer, die eine radikale Umwälzung der gesamten Gesellschaftsstruktur eingeläutet hat und Leben und Tod in neuem Licht erscheinen lässt.«[18]

Die Vorhut ist unterwegs. Wir aber sind die Armee, die ihr folgt. Noch haben nicht alle bemerkt, dass die westlichen Zivilisationen zu einer neuen großen Entdeckungsmission aufgebrochen sind. Die Gesellschaft, von der wir hier reden, erleben Sie womöglich erst, wenn Sie 40 oder 50 oder 60 Jahre alt sind. Dann wird die Mehrheit, die Deutschland prägt, ebenfalls 50, 60 und auch 70 Jahre alt sein. Gleichzeitig werden die jüngeren Generationen, die 30- und 40-Jährigen, schon von der Altersangst infiziert sein. Wie während der großen Pest, mit deren Folgen die uns bevorstehende Bevölkerungsverschiebung verglichen wurde,[19] werden womöglich Kulte des Gegenwärtigen entstehen und Revolten angesichts der irrwitzigen Vorsorgepflichten, die jeder für sein eigenes Alter und das Altern der anderen treffen muss. Schließlich – während all das geschieht – werden die 80- und 90-Jährigen den am schnellsten wachsenden Teil der Bevölkerung bilden.

Die Ressorts Gesundheit, Familie und Soziales können von dieser Entwicklung nur überfordert sein. Wir werden in diesem Buch feststellen, dass die Vorurteile über das Altern und den alternden Menschen ein furchtbares Verhängnis unserer Zivilisation und unseres Lebens sind. In Deutschland, wo man in den vergangenen Jahrzehnten so viel über politische und kulturelle Feindbilder lernen konnte, hat man ausgerechnet die Kriegspropaganda abgetan, die sich gegen unsere eigene Existenz richtet. Während in Amerika und England eine überwältigende Anzahl von Studien zur Altersdiskriminierung, dem so genannten »ageism«, erschienen sind, hat die psychologische Forschung in Deutschland das Thema verschlafen.[20] Wenig ist geschehen, um Studien aus der komplizierten Sprache der Experten in unsere Alltagssprache zu übersetzen. Ein Martin Luther täte Not, der die zum Teil spektakulären Erkenntnisse einzelner Forscher etwa zur Gehirn- und Seelentätigkeit älterer Menschen übersetzt.

Die falschen Vorstellungen über das Alter sind ebenso mörderisch wie alle anderen Rassismen, in denen Menschen minderwertig gemacht werden. Und zwar mörderisch im wörtlichen Sinn: Wir wissen heute, dass sie die seelische Widerstandsfähigkeit älterer Menschen schädigen und ihre Lebensdauer verkürzen.[21] Rassismen haben alle gemeinsam, dass sie die Wirklichkeit zur Karikatur machen. Dass beispielsweise ältere Menschen vergesslicher, langsamer oder in ihren Reden weitschweifig werden, ist bis zu einem gewissen Grad sogar nachweisbar. Aber es sind immer auch individuelle Prozesse, deren Verallgemeinerungen ebenso absurd sind, wie die Behauptung, Kinder könnten erst mit zwölf Jahren die erste Fremdsprache lernen. Wir täuschen uns über den Menschen am Anfang des Lebens. Und wir täuschen uns über den Menschen, der wir, in der zweiten Hälfte unseres Lebens, einmal sein werden. Wir reden von einem fundamental gewandelten Lebensgefühl, aus dem ein Verfalls- und Todesgefühl, ja eine Kultur des Untergangs werden kann. Die wachsende Nähe der Bevölkerungsmehrheit zum Tod mitsamt den körperlichen und geistigen Ängsten des Alters verlängert unsere Vergangenheit und verkürzt unsere Zukunft.

Eine wahrhaft tödliche Ideologie

Es gibt Menschen, die sich bewusst dafür entscheiden, kürzer zu leben. Sie rauchen oder trinken, aber immer tauschen sie – zumindest in ihrer eigenen Wahrnehmung – das kürzere Leben gegen einen aktuellen Genuss. Bei unserer Selbstzerstörung durch einen Rassismus des Alters gibt es keinen Genuss, abgesehen von der Schalheit, sich über andere Menschen zu erheben. Im Gegenteil macht die Fixierung auf Bilder der Jugend und der ewigen Schönheit, wie wir sehen werden, auch Jüngere unglücklich.

Was Sie hier lesen, ist kein kulturkritisches Pamphlet. Es ist eher der Versuch, ein Selbstgespräch zu befeuern, das Sie zum Mitverschwörer gegen die Herrschaft einer wahrhaft tödlichen Ideologie macht. Es gibt unzählige Beweise dafür, dass die Diskriminierung von Menschen nach Rasse und Geschlecht das Verhalten dieser Menschen verändert. Glücklicherweise organisieren wir Revolten, Proteste, Lichterketten, Unterschriftenaktionen gegen solche rassistische Diskriminierung, und manchmal schaffen wir sogar eine neue Sprache gegen die herrschende. Nur da, wo es um uns geht und um unsere eigene Zukunft, tun wir das nicht.

Im Jahre 1975 begannen Forscher im amerikanischen Bundesstaat Ohio mit einer 20 Jahre währenden Langzeitstudie. Gegenstand: das Altern einer ganzen Stadt. Die spektakulärsten Ergebnisse dieser Untersuchung wurden erst 2002 veröffentlicht. Die Teilnehmer der Studie wurden über die Dauer von 20 Jahren sechsmal befragt, wie sie über ihr eigenes Altern und das Alter denken. Die Studie bewies, dass diejenigen, die das Alter für eine erfüllte Phase ihres Lebens ansahen und über ältere Menschen positiv dachten, im Schnitt siebeneinhalb Jahre länger lebten als diejenigen, die vom Alter nichts erwarteten. »Dieser Unterschied blieb auch bestehen, wenn wir den sozialen und ökonomischen Status, das Geschlecht, die sozialen Beziehungen und die Gesundheit der Menschen kontrollierten … Die erhöhte Lebenserwartung von siebeneinhalb Jahren, die unsere Studie nachweist, ist beträchtlich. Der Einfluss eines positiven Selbstbildes und eines positiven Bildes des Alterns für die Überlebensrate des Menschen ist größer als die Auswirkungen von Blutdruck oder hohem Cholesterin, die eine Lebensverkürzung von vier Jahren oder weniger bewirken.«[22]

Die amerikanischen Forscher haben eine einfache Formel für diese Medizin: der Wille zum Leben. Dessen Gegner sind diejenigen, die den Menschen entmündigen wollen. Diese Entmündigung beginnt bei der Verwaltung ihrer Lebenszeit –

Arbeitsende spätestens mit 65 – und endet in den vorauseilenden Befunden eines angeblichen Zu-alt-Seins. Der Rassismus, der den alternden Menschen von seinem 40. Lebensjahr an zu einer anderen Spezies macht, hat die Eigenschaft, tödlich zu werden, wenn wir uns nicht mehr wehren können. Wir werden in den Kapiteln dieses Buches davon reden, dass uns im Alter durch die Gesellschaft etwas geraubt wird, was für unser Menschsein konstitutiv ist: unser Selbstbewusstsein und unser Verstand.

Wie sehr dies *unsere* Angelegenheit ist, zeigt folgende Episode, die der zuständige Staatsanwalt von Kalifornien vor einem Senatsuntersuchungsausschuss zu Altersfragen vortrug:

»Ein 85 Jahre alter Mann wurde von seiner 81-jährigen Frau tot im Haus gefunden. Die Frau verständigte Polizei und Notarzt. Sie erzählte den Polizisten, dass sie unmittelbar vor dem Tod ihres Mannes eine Dame in ihrem Haus gesehen habe. Alle Beamten, auch die Behörde, verwarfen dies als Einbildung. Gerichtsmediziner und Leichenbeschauer wurden telefonisch verständigt. Da es keine Zeichen eines Kampfes gab, wurde der Totenschein ausgestellt. Einen Tag später alarmierte ein Bankbeamter die Witwe darüber, dass es ungewöhnliche Bewegungen auf dem Konto ihres verstorbenen Mannes gegeben habe. Jetzt wurde die Polizei hellhörig und ordnete eine Autopsie an. Das Ergebnis war eindeutig: Der Mann war erdrosselt worden. Wenig später wurde die unbekannte Besucherin verhaftet.«[23]

Natürlich hat es solche Ereignisse auch in der Vergangenheit gegeben, und wir erinnern uns, sie schon als Kinder irgendwo unter den skurrilen Alltagsanekdoten des Lokalteils gelesen zu haben. Es geht hier aber nicht um eine merkwürdige Meldung, sondern um eine gemeldete Merkwürdigkeit: Wieso eigentlich wäre die Beobachtung der alten Dame glaubwürdiger gewesen, wenn die betagte Zeugin erst 40 Jahre alt gewesen wäre? Wieso ist der Tod des alten Herrn prinzipiell »normal«, jedenfalls nicht ungewöhnlich, obwohl er offenbar bis zuletzt sehr rüstig und gesund gewesen ist? Erst wenn man – wie es offenbar der Staatsanwalt tat – diese Fragen stellt, wird einem bewusst, welche Folgen die soziale Diskriminierung des alternden Menschen für seine individuelle Lebenssicherheit hat.

Diese Episode gibt nur eine leise Ahnung der Glaubwürdigkeitsprobleme, in die der älter werdende Mensch im Laufe seines Lebens gelangt. Wir werden sehen, dass sie umfassender und existentieller sind, als wir heute ahnen.

Aber es sind nicht nur kollektivistische Kräfte, die uns die Autonomie über unsere Lebensläufe nehmen. Es sind auch die Kräfte des Marktes, der ständig neue Produkte hervorbringt und in der langen Lebensdauer seiner Erzeugnisse einen Schaden sieht. Die Ideologien des Jugendwahns können deshalb so starke Kräfte entfesseln, weil sie sich, wie wir sehen werden, mit dem biologischen Code des Menschen, der Abneigung der Natur gegen das Altern, verbünden.

Deshalb brauchen wir Vorsorge der anderen, der nichtmateriellen Art. Wir müssen erkennen, was uns bevorsteht und wie wir es überstehen können, ohne unser Selbst, unsere Lebensgeschichte, pathetisch gesprochen: unsere Würde, zu verlieren. Wir alle haben die große Aufgabe unseres Lebens noch vor uns. Wir sind Sisyphos ohne Gipfel und ohne Stein. Ein Sisyphos, der unten angekommen ist und in der Ebene weiterleben soll.

»Das Alter«, sagte der uralte Norbert Bobbio, »spiegelt deine Ansicht vom Leben wider, und noch im Alter wird deine Einstellung zum Leben davon geprägt, ob du das Leben wie einen steilen Berg begriffen hast, der bestiegen werden muss, oder wie einen breiten Strom, in den du eintauchst, um langsam zur Mündung zu schwimmen, oder wie einen undurchdringlichen Wald, in dem du herumirrst, ohne je genau zu wissen, welchen Weg du einschlagen musst, um wieder ins Freie zu kommen.«[24]

Wir sind wie Teilnehmer eines Expeditionskorps, das angegriffen und belagert und verfolgt wird, der Feind steht uns im Rücken und im Angesicht, und vor uns liegt unbekanntes graues Terrain. Die Auseinandersetzung beginnt als psychologische Kriegsführung, ehe es zum wirklichen Krieg kommt. Unser Charakter wird sich verändern. Unsere Nachkommen werden uns hartherzig und egoistisch und schandbar finden, und wir werden mit diesem Urteil nicht leben wollen. Je näher wir ans Ziel kommen, desto schwächer, uneinsichtiger, unwilliger werden wir. Wir müssen etwas aufgeben, um zu gewinnen, etwas, das uns wie Tolkiens Ring der Macht seinen Willen aufzwingt und knechtet und bindet und uns sogar plan gegen unsere eigenen Interessen handeln lässt.

Was ist zu tun?

Wir müssen viele Lektionen der antiautoritären, jugendbesessenen Jahrzehnte vergessen. Wir müssen Kinder früher in die Schule und Ältere viel später und nach ganz anderen Kriterien in den Ruhestand verabschieden. Wir müssen die Struktur der Lebensläufe verändern, indem wir Gleichzeitigkeiten schaffen, wo bisher Linearitäten herrschten: Phasen von Arbeit müssen sich verändern, wie sich die Arbeitszeiten verändern. Wir müssen Erfahrungen rehabilitieren, Weisheit und den Austausch zwischen den Generationen.

Wir müssen nicht nur die Fehler und das Versagen, wir müssen auch die Erfolge unserer Generation würdigen lernen. Wir müssen jener großen Alterskohorte, die der zweiten Hälfte des 20. Jahrhunderts entstammt, auch die Geschichte ihrer Siege erzählen können; deren größter ist, dass sie, anders als die Generationen davor, keine Weltkriege anzettelte und unter den Bedingungen einer apokalyptischen Moderne überlebte. Diese Selbst-Erzählung der heute lebenden Generationen ist aus einem einzigen Grund von Belang: Sie ist das Mittel, das Instrument, um das Selbstbewusstsein zu gewinnen, das einem das Alter raubt.

Frühere Gesellschaften hatten wenig Interesse daran, dieses Selbstbewusstsein ihrer älteren Mitglieder zu erhalten. Unsere bürgerliche Sehnsucht nach den ruhmreichen Vergangenheiten, wo das Alter geehrt wurde, ist leider in den meisten Fällen die Sehnsucht nach einer Illusion. »Sie sollten, da sie doch keinen Nutzen mehr der Erde bringen, sterben und fortgehen und den Jungen nicht mehr im Wege stehen«, heißt es schon in der griechischen Antike.[25]

In früheren Zeiten, da die Mehrheit, nämlich die Jugend, Haus und Hof übernehmen wollte, mochte die Verdrängung der Alten moralisch unanfechtbar scheinen. Für unsere Zukunft hingegen ist nichts so notwendig wie das Selbstbewusstsein der Älteren. Die Generation vor uns kam aus einer Welt von Unsicherheit, Angst, Armut und Krieg und erreichte eine Welt der Sicherheit und des einzigartigen Reichtums, jene Bundesrepublik, in die wir hineingeboren wurden. Wir aber gehen den umgekehrten Weg: Wir waren jung in den Jahren von Wohlstand und Glück, und wir werden altern in einer Welt, die seit dem 11. September 2001 von großen Unsicherheiten und Ängsten geprägt ist. Wenn uns der demographische Krieg der Kulturen nicht ausgehöhlt, ausgebrannt und kleinmütig vorfinden soll, müssen wir zunächst der Diffamierung des Alters den Krieg erklären. Der Sozialwissenschaftler Austin Lyman hat mit älteren Navajo-Indianern Mantras aufgezeichnet, die zeigen, wie Menschen das Alter intakt überstehen, indem sie sich ihre vergangenen noch so kleinen Siege erzählen; die Gruppe erinnerte sich in Versform daran, wie sie unter schlimmsten Bedingungen Schafe hütete. Wer, so lautete die Erkenntnis, Schafe im Sturm hüten kann, kann auch das Alter meistern:

> Ich habe früher schon überlebt. Ich kann es jetzt wieder schaffen.
> Ich habe schon manches durchgemacht. Ich kann es noch mal schaffen.
> Mit Unwettern, Bären, Wölfen und Weißen wurde ich fertig. Ich kann auch mit dem Alter fertig werden.
> Wie schlimm es auch kam, ich ging noch immer mit den Schafen hinaus.
> Ich mache weiter, egal, wie alt ich bin.[26]

Die zukünftigen Älteren werden eigene Riten, Vorstellungen und Prioritäten entwickeln. Sie werden anders sein als die, die wir heute kennen. Schon deshalb, weil wir dabei sein werden. Das ist der biologische Triumph unserer Generation. Wir haben keine Länder erobert, wir haben Lebenszeit erobert. »Stellen Sie sich diese gewonnenen Jahre als Ressource vor«, schreibt der amerikanische Kulturkritiker Theodore Roszak, »eine kulturelle und spirituelle Ressource, die wir dem Tod abgerungen haben, wie die Holländer fruchtbares Land dem öden Meer entrissen haben.«[27]

Wir, die wir glaubten, die Zeit des Kalten Krieges nicht zu überleben, werden in eine Welt der 100-Jährigen hineinwachsen. Damit fertig zu werden, ist nicht leicht. 100 Jahre in Europa waren bisher immer gleichbedeutend mit Tod und Vernichtung. Wir werden am eigenen Leib erfahren, wie es sich in einer betagten Gesellschaft lebt. Wir haben keine Schafe in

Blitz und Donner gehütet. Aber wir haben es allem Anschein nach geschafft, nach Jahrhunderten der gewaltsamen Lebensverkürzung ein Gegenprogramm zu formulieren. Vor ein paar Jahren besuchte ich in Wilflingen den 100-jährigen Ernst Jünger. Jünger galt damals als lebende, man sollte besser sagen: versteinerte Legende. Der 1895 in Heidelberg geborene Schriftsteller hatte alles mitgemacht und alles gesehen und alles überlebt. Noch der weit über 90-Jährige legte sich morgens in eine Badewanne mit eiskaltem Wasser, schrieb Tagebuch und Briefe, las, meditierte, unternahm ausgedehnte Spaziergänge und lebte ein Leben, das viele schon deshalb neugierig machte, weil sie glaubten, dieser Mann habe irgendwo in seinen Wanderungen durch das Jahrhundert den Jungbrunnen entdeckt.

Eines Tages erzählte dieser fast 100-jährige letzte Ritter, dass er, wenn er ein kleines Kind oder gar ein Baby berühre, immer stärker das Gefühl habe, einen fast überwirklichen Stromkreis zu schließen, der die Epochen ins Wanken brachte. »Stellen Sie sich vor: Eine uralte, 100-jährige Frau, die mich nach meiner Geburt in meiner Wiege so streichelte wie ich dieses Baby. Mein Körper verbindet also zwei Generationen, von denen die eine praktisch am Vorabend der Französischen Revolution geboren wurde und die andere gute Aussicht hat, noch das 22. Jahrhundert zu erleben.« An diesem etwas trüben Vormittag vor dem Schloss der Stauffenbergs hatten die Hände Jüngers die Jahre 1790 bis 2100 in einer einzigen Geste umfasst.

Teil 1
Die Heraufkunft der
alternden Gesellschaft

An- und Abfahrtzeiten
der Generationen

Lassen Sie sich von den hier abgebildeten Grafiken und Zahlen nicht abschrecken. Lesen Sie sie, wie Sie den Fahrplan der Busbetriebe lesen. Sie sind ebenso zuverlässig und wichtiger als jeder Anschluss, den Sie im Leben verpassen könnten.[28] Aufgrund unserer Erfahrung mit einander widersprechenden und ständig von der Wirklichkeit widerlegten Wirtschaftsprognosen haben wir eine große Skepsis gegen Voraussagen aller Art entwickelt. Doch demographische Vorausberechnungen sind anders als wirtschaftliche Daten oft von frappierender Treffsicherheit. »Bevölkerungsprognosen und -projektionen haben sich in den letzten Jahrzehnten als erstaunlich genau erwiesen«, schreibt der Bevölkerungswissenschaftler Herwig Birg, und zum Beweis zitiert er die Vorhersagen der Vereinten Nationen aus dem Jahr 1950 für das Jahr 2000: »Das Ergebnis war 6267 Mio. Zum Vergleich: Im Jahr 1950 betrug die Weltbevölkerung 2521 Mio. Die Differenz zwischen der vor mehr als vier Jahrzehnten vorausberechneten und der tatsächlichen Zahl für 2000 (6,1 Mrd.) beträgt 3,5 Prozent. Der eigentliche Prognosefehler ist aber noch niedriger.«[29]

Die Menschen, um die es hier geht, sind keine Fiktionen, sie sind alle schon unter uns. Wir selbst sind dabei. »Da alle Menschen, die im Jahr 2050 der Altersgruppe der Älteren angehören werden, bereits geboren sind«, schreibt der Bevölkerungsforscher Peter Schimany, »kann ihre Zahl relativ genau bestimmt werden. Den Berechnungen zufolge wird die Zahl Älterer von 606 Millionen im Jahr 2000 auf 1,97 Milliarden im Jahr 2050 um mehr als das Dreifache ansteigen. Damit wächst diese Altersgruppe deutlich schneller als die Weltbevölkerung, die im selben Zeitraum nur um die Hälfte zunehmen wird.«[30] Die Anzahl der Menschen, die älter als 85 Jahre alt sind, wird sich bis dahin von 26 Millionen auf 175 Millionen versechsfacht haben, die über 100-Jährigen werden sich versechzehnfacht haben, von heute 135000 auf 2,2 Millionen.[31]

Vielleicht ist es diese Präzision, die die Heraufkunft der alternden Gesellschaft von allen apokalyptischen Vorhersagen unterscheidet, mit denen wir bislang in unserem Leben traktiert worden sind. Vielleicht glauben wir deshalb nicht an die Größe des Epochenbruchs, weil er sich ankündigt wie der Fahrplan der Stadtwerkebusse. Eine Revolution, deren Eintrittsdatum wir kennen, deren Auswirkungen wir fürchten und die wir doch nicht abwenden können, überfordert unsere Vorstellungskraft.

Beginn des Konflikts:[32] 2010, denn dann gehen die ersten Nachkriegsjahrgänge in Vorruhestand. Unsere Gesellschaft wird aus zwei Richtungen untergraben:

- Die höhere Lebenserwartung; die Menschen, um die es hier geht, sind alle schon geboren, und die Länge ihres Lebens wird vermutlich selbst die heute schon großzügig gezogenen Grenzen überschreiten.
- Während die Alten leben und nicht sterben, wurden die Jungen, die wir für die Zukunft benötigen, niemals geboren. Wir können das nicht mit Hilfe einer Zeitmaschine nachträglich korrigieren. So wird der Boden unserer Zukunft untergraben, ohne dass wir auch nur einen Schritt auf ihm versucht hätten; und da unsere Kinder nie geboren wurden, werden auch sie niemals gebären.

- Von Generation zu Generation werden weniger Frauen geboren – die Generation der heute geborenen Mädchen ist
  zahlenmäßig geringer als die Generation ihrer Mütter. Zur
  Bestanderhaltung einer Generation müssen durchschnittlich 2,1 Kinder pro Frau geboren werden statt der heute geborenen 1,4 Kinder.

Der geburtenstärkste Jahrgang ist der Jahrgang 1964, Stich-
jahr also 2029.

Der Altenquotient der Deutschen – die Zahl der über 60-
Jährigen auf 100 Menschen im Alter von 20 bis 60 – wird sich
bis 2030 nahezu verdoppeln, und zwar von 44,3 im Jahre
2002 auf 46 im Jahre 2010, 54,8 im Jahre 2020 und 70,9 im
Jahre 2030. Er steigt weiter bis 78,0 im Jahre 2050.

Vorausgesetzt es gibt keinen Krieg, sind die Weichen für
die nächsten 50 Jahre unumkehrbar gestellt. Die deutsche
Bevölkerung wird bis 2050 um ca. zwölf, womöglich um
17 Millionen Menschen abnehmen. Ohne Zuwanderung
würde der Rückgang 23 Millionen Menschen betragen.
Ohne gravierende Veränderung der Geburtenrate und der
Zuwanderung wird im Jahre 2050 die Hälfte der Deutschen über 51 (heute: 40 Jahre) Jahre alt sein und eine
psychologische Lebensperspektive von 30 Jahren haben.
Italien wird am Ende des Jahrhunderts bei gleich bleiben-
dem Trend nur noch zehn Millionen Einwohner haben.

Die Bevölkerung in Deutschland verringert sich in folgenden
Schritten:
Sie sinkt bis 2030 von jetzt 82 Millionen auf dann 76,7 Mil-

lionen, bis 2050 auf 67 Millionen. Spätestens 2050 wird die Bevölkerung um mindestens zwölf Millionen gesunken sein; die dazugewonnene Bevölkerung der DDR (einst 18 Millionen) wird sich gleichsam in Nichts aufgelöst haben.

Städte werden sich entvölkern; menschliche Beziehungen werden sich dramatisch verändern, die Zahl der Konsumenten nicht nur von Gütern und Dienstleistungen, sondern auch von Bildung, Kultur, Medien sinkt. In Deutschland werden Länder wie Brandenburg und Mecklenburg-Vorpommern in beträchtlichen Teilen von der Zivilisation zurück an die Natur fallen, der Entvölkerung durch den Menschen folgt eine Bevölkerung durch eine neue wilde und urwüchsige Natur.

Der Altersaufbau verändert sich wie folgt: Die Zahl der Jugendlichen nimmt bis zum Jahr 2050 kontinuierlich von 17,7 auf unter zehn Millionen ab.

Die Zahl der über 80-Jährigen verdreifacht sich.

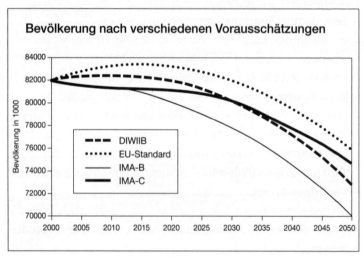

Quelle: Berlin-Institut für Weltbevölkerung und globale Entwicklung

Auf jede zweite Person in der Altersgruppe von 40 bis unter 60 entfällt spätestens 2050 eine Person, die älter ist als 80. Dadurch wächst der Bedarf an jüngeren Menschen, die nach Lage der Dinge nur aus Ländern außerhalb der EU kommen können. Das Ausmaß der notwendigen Zuwanderung scheint weitaus größer als heute vielfach angenommen und wird selbst im günstigsten Fall die Folgen der gesellschaftlichen Alterung nur abschwächen. Wollte man den Altenquotienten des Jahres 2000 erhalten (die Quote der über 65-Jährigen auf 100 Erwerbstätige), müssten ungefähr 180 Millionen Menschen nach Deutschland einwandern. »Selbst bei moderaten Einwanderungsüberschüssen«, so der Bevölkerungsforscher Herwig Birg, »von z. B. 210 Tausend pro Jahr (mittlere UN-Annahme) würde der Anteil der nach 1995 Zugewanderten einschließlich ihrer Nachkommen und einschließlich der schon heute in Deutschland lebenden Ausländer nach den Berechnungen der UN von 1995 bis 2050 auf rund 30 Prozent zunehmen.«[33]

Der demographische Altenpflegequotient (die Zahl der über 80-Jährigen auf 100 Menschen im Alter von 40 bis 60) wächst von 12,6 auf 55,0, das heißt, er vervierfacht sich. Dabei ist der Zuwachs bei den Männern wesentlich stärker als bei den Frauen.

Der Altenpflegequotient der über 90-Jährigen (im Vergleich zu den 50- bis unter 70-Jährigen) versechsfacht sich.

Die Zahl der über 100-Jährigen wächst von jetzt 11 000 auf 70 000 und erreicht 2067 mit 115 000 das mehr als Zehnfache des heutigen Werts.

Wegen der höheren Lebenserwartung von Frauen werden wir eine weitere Feminisierung des Alters und womöglich der Armut erleben.

Diese Entwicklung ist, wie der Chef des Statistischen Bun-

Internationaler Vergleich der Indikatoren einer alternden Gesellschaft

Land	Prozent der Erwachsenen			Anzahl der Erwachsenen (in Millionen)			
	älter als 65			älter als 65		älter als 80	
	1990	2030	2050	1990	2050	1990	2050
China	5.6	15.7	22.6	63.0	334.0	7.839	99.602
Indien	4.3	9.7	15.1	37.0	230.9	4.017	46.999
Korea	5.0	18.1	24.7	2.1	12.6	0.276	3.763
Mexiko	4.0	19.9	18.6	3.3	27.3	0.644	5.979
Kanada	11.2	22.6	23.8	3.1	10.1	0.643	3.759
Frankreich	14.0	23.2	25.5	7.9	15.3	2.136	5.696
Deutschland	15.0	26.1	28.4	11.9	20.8	2.985	8.299
Italien	15.3	29.1	34.9	8.7	14.4	1.963	5.787
Japan	12.0	27.3	31.8	14.8	33.4	2.922	12.09
Großbritannien	15.7	23.1	24.9	8.1	14.1	2.092	5.287
USA	12.4	20.6	21.7	31.5	75.8	7.213	26.914

Quelle: Vereinte Nationen, Population Division (1999)

desamtes sagt, im Kern»vorgegeben und unausweichlich«. Die Veränderungen sind global: Sie betreffen Entwicklungs- wie Industrieländer. Zwar erleben Entwicklungsländer nach wie vor einen beispiellosen Jugendboom – der das Durchschnittsalter der Länder drückt –, so dass dort in den nächsten Jahrzehnten nicht mit einer Mehrheit der Älteren über die Jüngeren zu rechnen ist. Angesichts der faktisch inexistenten sozialen Systeme ist aber die Verdreifachung allein der über 80-Jährigen (von den 60-Jährigen ganz zu schweigen) in Afrika oder deren Vervierfachung in Lateinamerika ein bislang völlig übersehener Aspekt der Globalisierung. Konservative Schätzungen erwarten für die USA einen Anstieg der Sozial- und medizinischen Ausgaben von einst 20 Prozent (1970) und jetzt 40 Prozent auf dann 68 Prozent.

Deutschland im Vergleich zur Welt

Die Entwicklungsländer werden nicht nur einen weiteren Jugendboom erleben, sondern ebenfalls ein »age quake«, ein Altersbeben, vor dem die Vereinten Nationen seit der Jahrtausendwende immer deutlicher warnen. Während ein Land wie Schweden noch 84 Jahre für die Verdoppelung der alten Altersgruppe benötigte, wird Singapur dafür nur noch 20 Jahre benötigen. China, befördert durch seine Ein-Kind-Politik, wird in weniger als 30 Jahren den Anteil der über 65-Jährigen verdoppelt haben. Gegenwärtig leben beispielsweise in Bangladesch 7,2 Millionen Menschen, die älter als 60 Jahre sind. In 50 Jahren könnten es mehr als 40 Millionen sein. Im Jahre 2050 übersteigt die Zahl der über 85-jährigen Frauen die aller anderen Altersgruppen.

In jedem Ameisenhügel entscheidet die Zusammensetzung der Population darüber, welchen evolutionären Weg der Insektenstaat geht. Das wird bei uns nicht anders sein. Wir müssen die Zeit, die uns heute gegeben ist, ohne Verzug nutzen. Der demographische Umbruch trifft uns, wenn wir nicht mehr so kraftstrotzend sind wie heute. In Deutschland werden in greifbarer Zukunft völlig unterschiedliche Generationen aufgrund der langen Lebenserwartung gleichzeitig alt sein (die Jahrgänge 1930 bis 1965), und alle über 60-Jährigen bilden dann zusammen bereits fast 35 Prozent der Bevölkerung.[34] Diese gewaltige Gruppe wird sich um ökonomische und finanzielle Ressourcen streiten, womöglich mit den Jungen, womöglich aber auch innerhalb der Altersgruppen selber. In einer

Umfrage des Allensbacher Instituts aus dem Jahre 1997 wird, was den kommenden Generationenkonflikt angeht, zwar zunächst Entwarnung gegeben: »Polemiken, dass die Älteren auf Kosten der jungen Generation leben, finden in der Bevölkerung wenig Widerhall.« Dann aber folgt diese Klarstellung: »Lediglich die noch nicht 30 Jahre alten Westdeutschen sind dafür in beachtlichem Maße empfänglich: 43 Prozent.«[35]

Familiäre Strukturen werden vertikal, nicht mehr horizontal sein, »mit ganz wenigen Cousins oder Cousinen, aber vier bis fünf Generationen, die gleichzeitig leben.«[36] Zwischen ihnen werden ganz neue Beziehungen bestehen, der Handel von Geld, Waren und kulturellen Inhalten innerhalb der Familien wird von ganz neuen Tabus bestimmt sein. Hinzu kommt die zweite demographische Weichenstellung: Die heutigen Kinder werden in ungefähr 30 Jahren eine zentrale Entscheidung treffen, die großen Einfluss auf unsere letzten Jahre haben wird. Sie werden entscheiden, ob sie selbst Kinder und ob ihre Kinder Großeltern haben werden.

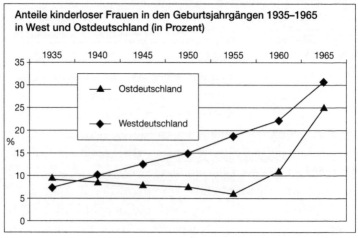

Anteile kinderloser Frauen in den Geburtsjahrgängen 1935–1965 in West und Ostdeutschland (in Prozent)

Quelle: Berlin-Institut für Weltbevölkerung und globale Entwicklung

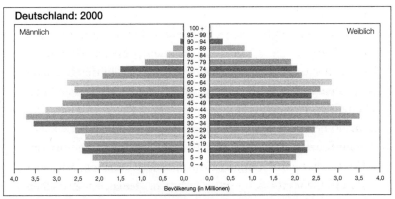

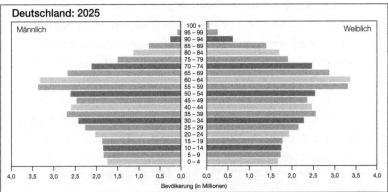

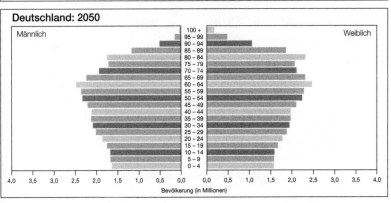

Quelle: Berlin-Institut für Weltbevölkerung und globale Entwicklung

47

Die wirtschaftlichen Folgen

Die meisten Rentner der Republik finden sich in den Organisationen des DGB. Knapp 1,6 Millionen Mitglieder sind Rentner, Pensionäre oder Menschen, die sich im Vorruhestand befinden. Ein Forschungsprojekt der FU Berlin hält es sogar für wahrscheinlich, dass die Gewerkschaften ihr Mandat erweitern und sich als Rentnergewerkschaften annoncieren werden. Da unklar ist, wie egoistisch die Alternden der Zukunft sein werden, könnten die Folgen solcher Organisationsformen dramatisch sein. Steigt der Altenquotient um die vorhergesagten 100 Prozent, würde dadurch zwangsläufig das Rentenniveau halbiert beziehungsweise der Beitragssatz verdoppelt werden. Zugleich gibt es einen Wandel in der Nachfrage. Während die Gesundheitsindustrie und die mit ihr verbundenen Dienstleistungen stark wachsen werden, werden der Wohnungsbau und der Immobilienmarkt schrumpfen. Am Beispiel einer möglichen Rentenreform haben Wissenschaftler anhand des Wahlverhaltens der Bundesbürger dargelegt, dass eine politische Mehrheit für den Wechsel vom Umlageverfahren zum Kapitaldeckungsverfahren nur bis 2020 denkbar wäre. Ab 2023 sind die jungen Leute, für die sich der Umstieg lohnt, bereits in der Minderheit; bereits 2027 wäre über die Hälfte (55 Prozent) gegen die Reform. Werden alle gegenwärtig in Deutschland lebenden Generationen nach den 2001 geltenden Steuer-, Renten- und Sozialversicherungen behandelt, ergibt sich eine Lücke von 225,9 Prozent des Bruttoinlandsprodukts, das heißt, die tatsächliche Verschuldung ist viel höher als die jährlich ausgewiesene.

Der Krieg der Kulturen

Es gibt angesichts solcher Daten eine einzige Sache, die wir für unsere Nachkommen tun *müssen*: alt werden. Wir müssen lange leben und dabei ein starkes, uneingeschüchtertes Selbstbewusstsein haben. Das ist kein origineller Einfall. Doch wird davon abhängen, wie unsere Kultur überleben wird.

Im Sommer 1993 erschien in der Zeitschrift *Foreign Affairs*, der Strategiezeitschrift der amerikanischen Außenpolitik, ein Artikel, der zum Wirkungsvollsten gehören sollte, was dort – oder sonst wo in den letzten Jahren – je publiziert wurde. Verfasst von dem Politologen Samuel Huntington, ging es darin um den mittlerweile sprichwörtlich gewordenen »Clash of Civilizations«, um die neue Weltordnung, die, so Huntington, vor allem an den Grenzlinien von muslimischer und westlicher Welt zu enormen Konflikten führen wird. Huntingtons Prognose wurde von vielen als *blueprint* für die amerikanische Außenpolitik im 21. Jahrhundert verstanden. Jedenfalls schienen die nachfolgenden Ereignisse – bis hin zum Irak-Krieg – wie von Huntington modelliert.

Viel unbekannter blieb ein Artikel, der sechs Jahre später in *Foreign Affairs* erschien und sich ausdrücklich auf Samuel Huntingtons Thesen bezog, aber scheinbar von etwas ganz anderem handelte: der Alterung der Gesellschaft. Peter G. Peterson, Nixons Wirtschaftsminister, dann Vorstandsvorsitzender von Lehman Bros., publizierte unter dem Titel »Graue Dämmerung« seinen eigenen Krieg der Kulturen. Er sagte voraus, dass schon in der nächsten Generation »die ökonomi-

schen und politischen Systeme der entwickelten Länder«
durch die Alterswelle umdefiniert werden könnten. Am Ende
schlug er einen »Altersgipfel« vor, an dem sich alle entwickelten Staaten beteiligen sollten, ein Vorschlag, der nur wegen
der Anschläge auf das World Trade Center nicht sofort aufge-
griffen wurde.

In Wahrheit versteht man den »Krieg der Kulturen« nicht,
wenn man nicht auch den »Krieg der Generationen« versteht;
beides, die Bedrohung durch einen aufstrebenden Fundamen-
talismus und die Selbst-Bedrohung durch die graue Dämmerung unserer Welt gehören zusammen. Huntington hat das in
seinem Aufsatz (und später in seinem Buch) längst ausgespro-
chen; doch noch fehlten ihm die Daten, die belegten, mit
welch unvorstellbarer Geschwindigkeit die europäischen Gesellschaften von 2010 an altern werden.

Jetzt wird klar: Die Alterung der Industrienationen wird
wie eine Sinuskurve in den nächsten 30 Jahren durch die
gewaltige Jugendwelle der muslimischen Länder überdeckt.
»Es ist vielleicht kein reiner Zufall, dass der Anteil der
Jugendlichen an der iranischen Bevölkerung in den 70er Jahren dramatisch anstieg, wobei er in der letzten Hälfte dieses
Jahrzehnts 20 Prozent erreichte, und dass die iranische Revolution 1979 stattfand.«[39] Seither hat es einen weiteren
Modernisierungsschub in vielen anderen islamischen Ländern
gegeben, und gleichzeitig ist eine Art Wirtschaftsbürgertum
entstanden, aus dessen Mitte eine neue muslimische Jugend in
die Welt tritt. In vielem gleicht die Protesthaltung der jungen
Muslime jener der Studenten von 1968. Die aus Saudi-
Arabien stammenden Gefolgsleute Bin Ladens reden über ihr
Land nicht anders, als die Achtundsechziger einst über das
ihre redeten. Immer mehr Kinder aus bürgerlichen muslimischen Mittelstandsmilieus sammeln sich, geprägt von einer

fundamentalistischen Ideologie und erbittert über die Unge-
rechtigkeit der Welt, zu einer Wiederaufführung des Revolu-
tionsdramas von einst genau in dem Augenblick, da die westlichen Revolutionäre, die Achtundsechziger aus Berkeley,
Berlin und Paris, im Begriff sind, in Rente zu gehen.

Huntington hat in seinem Buch auch jene Länder genannt,
deren Jugendanteil nach Prognosen der Vereinten Nationen in
den nächsten Jahren auf mindestens 20 Prozent steigen wird.
Im jetzigen Jahrzehnt handelt es sich um Ägypten, Iran, Saudi-
Arabien und Kuwait. Noch beunruhigender wird für uns die
Entwicklung in Staaten sein, die Huntington aus Gründen
ihres Altersaufbaus ab 2010 für gefährdet hält: Pakistan, Irak,
Afghanistan und Syrien.

Es ist ein Bild von großartiger Symbolik: In dem historischen Moment, da in den muslimischen Ländern der Anteil
der Jugend auf 20 Prozent steigt, haben die meisten europäischen Länder diesen Wert für die Alten erreicht oder überschritten.[40] Und zwar mit einer unglaublichen Dynamik, die
im Jahre 2050 den Anteil der Personen über 60 Jahre etwa in
Spanien auf über 43 Prozent katapultieren wird.[41]

Das Olympia-Attentat in München 1972, das eine ganze Generation prägte, erscheint in der Rückschau wie das Initial eines
Generationenerlebnisses, eine Kettenreaktion, die im 11. September ihren vorläufigen Höhepunkt fand. Jetzt spricht vieles
dafür, dass in den Jahrzehnten Ihres Altwerdens, von 2010 bis
2050, die Krise zur Katastrophe wird.

Wir werden aus dem terroristischen Krieg der Kulturen zeit
unseres Lebens nicht mehr entlassen werden – der 11. September markiert auch hier den Beginn einer neuen Zeitrech-
nung. Das aber heißt auch, dass die Vorstellung ziemlich unrealistisch ist, wonach die Älteren von morgen aufgrund ihrer
hohen Zahl die Jüngeren politisch dominieren werden. Wir

werden uns in den Schutz der Jungen begeben. Die Jungen sind weniger, aber sie sind stark: Es sind die Polizisten, die Bankbeamten, die Journalisten, die Ärzte, die Krankenschwestern, die sich gegen uns auflehnen werden, wenn wir wirklich beabsichtigen, mit Hilfe unserer Wählerstimmen uns als ausbeutende Klasse über sie zu erheben. Das ist auch deshalb undenkbar, weil Deutschland und die EU selbst nach konservativsten Berechnungen ein solches Maß an Zuwanderung erleben werden, dass die Integrationsfähigkeit unserer Gesellschaft bis aufs Äußerste herausgefordert sein wird. Die neun Mittelmeer-Anrainerstaaten von Marokko bis zur Türkei werden weiter wachsen, so dass »der Einwanderungsdruck in die Länder der EU allein schon demographisch bedingt« stark ansteigt.[42] Aber umgekehrt wächst die Nachfrage nach jungen Menschen, die von außen in unsere alternden Milieus einwandern. Man muss sich stets vor Augen halten, dass noch den pessimistischsten Prognosen über unsere gesellschaftliche Zukunft die Annahme zugrunde liegt, dass Deutschland faktisch ein Zuwanderungsland wird. Ohne Zuwanderung würde sich die Bevölkerungszahl in Deutschland bis zum Jahre 2080 – dem Jahr, da unsere Kinder alt sein werden – praktisch um die Hälfte vermindern.[43]

Die Integrationsaufgabe, die den heute lebenden Generationen bevorsteht, ist außerordentlich: Sie müssen die Vielzahl der vermutlich überwiegend muslimischen Einwanderer integrieren, sie müssen unsere Kinder, angesichts einer Überzahl von Älteren, davon abbringen, das Land zu verlassen, und sie müssen gleichzeitig künftige junge Mütter in die Lebens- und Arbeitswelt integrieren. In einem Augenblick, da unsere Gesellschaft wegen ihres desaströsen Altersaufbaus selbst in eine Werte- und Selbstbewusstseinskrise geraten wird, muss es uns außerdem gelingen, die mindestens jährlich 200 000 Zuwan-

derer auf westliche Werte, die Landessprache und einen auf-
geklärten westlichen Patriotismus zu verpflichten.

Einer bedrohten Gesellschaft ein Selbstbewusstsein zu geben, das aus Lebenserfahrung und Weisheit kommt – das ist
die große Lebensaufgabe derjenigen, die in 15 Jahren in diesem Land leben.

Dass alt sein nicht gleichzusetzen ist mit schwach sein oder
müde, und dass der Alternde nicht schwach gemacht werden
darf, wird eine der Überlebensregeln unserer gefährdeten Gemeinschaft sein.

Der Krieg der Generationen

Die Weltgeschichte kennt viele Kriege. Kriege mit der Faust und mit dem Speer und sogar mit den bloßen Zähnen, solche mit Feuerwaffen oder Bomben, Verteidigungs- und Vernichtungskriege, Bürgerkriege und Zivilisationskriege. Und es gibt den Krieg der Generationen.

Er unterscheidet sich fundamental von allen anderen Konflikten und Feldzügen, denn in ihm treten keine Armeen in offener Feldschlacht an, man erschießt sich in der Regel nicht gegenseitig und macht auch keine Gefangenen. Dennoch bewegt der Konflikt der Generationen offenbar Kräfte, die so tief und umwälzend sind, dass wir wie selbstverständlich vom »Krieg« reden. In gewisser Weise ist der Generationenkrieg der älteste und zugleich modernste aller Kriege. Er ist der älteste, weil er, wie wir sehen werden, biologisch programmiert ist. Er ist der modernste, weil er seit Jahrtausenden in der Menschheit nur als psychologischer Krieg, als Krieg der Worte und Demütigungen, geführt wird. Die Jungen töten die Alten, indem sie die Identität der Alten zerstören. Das geschieht fast ausschließlich mit den Mitteln der Sprache und der Bilder.

Die psychologische Kriegsführung zerstört das Selbstbewusstsein des Menschen, indem sie dem Alternden das Vertrauen in seine Schönheit, seine fünf Sinne und vor allem seinen Verstand raubt. Der Sohn des Sophokles geht vor Gericht und verlangt, seinen 90-jährigen Vater als nicht mehr zurechnungsfähig zu entmündigen. Er hofft, wie so viele andere, die mit ihren Vätern das Gleiche tun, dadurch in den Besitz des Familienvermögens zu kommen. Sophokles rezitiert zum Beweis seiner geistigen Präsenz eine seiner Tragödien aus dem Kopf. Der Antrag wird abgewiesen.[44] Es geht bei dem Krieg der Worte und Bilder, ob sie nun von dem griechischen Komödiendichter Aristophanes oder von L'Oréal stammen, immer nur um die Verunsicherung des alternden Menschen.

Hören Sie diesen Bericht aus der guten alten Zeit: »So nahm das Schmähen, so nahmen auch alle Gattungen der gröbsten Ungezogenheit zu: nicht nur, dass sie wochen- und monateweit kein Wort mit ihnen sprachen, sich auch bei Altersschwachheiten und Krankheiten nicht mehr nach ihnen umsahen, ihnen alle kindlichen Schuldigkeiten entzogen, sondern ihnen noch überdies alles Böse und den frühesten Tod überall laut anwünschten, ja alles dazu beitrugen; man hörte, dass sie, wie sie den Mund wider sie aufthaten, auch die Hand gegen sie aufhuben; wie sie lieber dem Hund ein Stück Fleisch gaben, als ihren Eltern ein hartes Brod vorwarfen; wer in die Geheimnisse, die sich zwischen Eltern und Kinder eraignen, hineinsieht, der muss sich entsetzen, schwindeln und zurückfallen; denn es sind Geheimnisse schwärzester Bosheit, welche die Kinder begehen und so im Finstern, wie die Pest hineinschleichen.«[45]

Das berichtet Johann Friedrich Mayer Ende des 18. Jahrhunderts über das Schicksal der alten Erbbauern. Hinter dem Krieg der Seelen verbirgt sich der Konflikt von Alter und Ökonomie. Er prägt die Geschichte unserer gesamten Spezies – die Natur ist, wie wir andernorts sehen werden, der Lehrmeister all jener, die dem Alter alles Kapital nehmen wollen –, und immer geht es darum, dass die Alten den Jungen im Wege stehen. Die Jungen mäkeln an den Alten herum, haben es auf das Erbe oder, noch besser, auf die Überschreibung des Besitzes zu

Lebzeiten abgesehen. Fast immer wird der Krieg von Jung und Alt als die Hölle auf Erden beschrieben; die Jungen schimpfen, zetern, terrorisieren, höhnen, verachten, verfluchen die Alten. »Fahren sie mit hässlichen Worten an«, wie es schon vor 2700 Jahren bei Hesiod heißt, »geben dann auch nicht ihren greisen Erzeugern zurück das Entgelt für die Aufzucht.«[46]

Seit Einführung der Rentenversicherung Ende des 19. Jahrhunderts ist dieser polemische Zusammenhang von Alter und Ökonomie immer mehr in den Hintergrund getreten. Solange die Alterspyramide noch fest gegründet stand und der Generationenvertrag funktionierte, hat man die brutale ökonomische Substanz des Kampfes von Jung gegen Alt vergessen. Man hat auch, was ebenso wesentlich ist, vergessen, dass ältere Menschen jenseits der 65 nicht notwendigerweise aus dem ökonomischen Kreislauf ausscheiden müssen. Dass ältere Menschen sehr aktiv, wirkungsvoll, produzierend in den Zweigen der Wirtschaft mitarbeiten können, schien angesichts der Verrentungserfahrung ganzer Generationen nachgerade absurd.

Glauben Sie nicht, der militante Islam sei die einzige Kraft, die unsere Gesellschaft ins Mittelalter zurückbomben will. Auch unseren Kulturen steht ein neues Mittelalter bevor. Hatten Sie je Schwierigkeiten, sich in das mittelalterliche Weltbild von Schuld und Verdammnis einzufühlen? Wenn ja, dann kann Ihnen geholfen werden. Wenn wir unsere Vorstellungen vom Altern in unserer Gesellschaft den neuen Entwicklungen nicht anpassen, wird aus dem Herbst unseres Lebens ein neues Mittelalter entstehen. Über der Welt jenseits des Jahres 2010 liegt aus heutiger Sicht etwas von mittelalterlicher Todes- und Verfallsatmosphäre, von Ursünde und Strafe. Unsere Strafe finden wir allerdings nicht im Jenseits, sondern in der zweiten Lebenshälfte unseres eigenen Lebens. Sie ist buchstäblich das

Jenseits einer diesseitigen Jugendwelt, die Zeit der Sühne, in der die Menschen zur Rechenschaft gezogen werden für alle Versäumnisse und Leichtfertigkeiten ihrer ersten vier Jahrzehnte. Schuld und ihre lebensweltliche Entsprechung, die Schulden, werden zu Schlüsselworten der Epoche werden. Den Alternden werden Schuldgefühle gemacht werden. Und sie werden sich schuldig fühlen, weil sie da sind.

Es wird natürlich kein präzises Datum geben, an dem der Konflikt zwischen Jung und Alt explodiert und die Beteiligten dann, um das Schlimmste zu verhindern, Kassensturz machen. Die Auseinandersetzung beginnt schleichend, und zwar in Form einer unmerklichen Verschiebung innerhalb unserer Kultur und außerhalb, in ihrer Beziehung zu anderen Kulturen.

Heute glauben viele, dass der Alterungsschub in Zukunft ein gravierendes, aber eben doch nur ein sozialpolitisches Problem darstellen wird. In Wahrheit werden wir vermutlich unablässig innen- wie außenpolitisch mit dem *Problem* unseres kollektiven Alterns konfrontiert werden. Das Thema Altern könnte wie eine den Erdball vergiftende Seuche zur täglichen Nachricht werden. Denn da dem Altern der Gesellschaften in unseren Staaten, wie wir gesehen haben, noch immer riesige Geburts- und Jugendzahlen in anderen Teilen der Welt gegenüberstehen, spricht vieles dafür, dass die Auswirkungen der Alterung innen- und außenpolitisch gleichzeitig spürbar werden. Peter G. Peterson prognostiziert denn auch, dass die Armutslinie sich nicht mehr nur zwischen Nord und Süd, sondern zunehmend zwischen jungen Ländern und alten Ländern abspielen wird. »Wenn es den heutigen Niedriglohnländern, allen voran China, gelingt, voll finanzierte Ruhestandssysteme für ihre eigene alternde Bevölkerung zu entwickeln«, schreibt Peterson in seinem Artikel in *Foreign Affairs,* »werden sie noch größere Kapitalrücklagen produzieren. Folglich könnten einige der alternden Großmächte der Gegenwart auf diese Rücklagen angewiesen sein, um selber handlungsfähig zu bleiben. Was wird daraus entstehen? Wird sich die internationale Diplomatie verändern? Werden die Chinesen, um ein Beispiel zu nennen, von den Amerikanern eines Tages verlangen, dass sie ihr Gesundheitssystem reformieren, so wie die Amerikaner heute von den Chinesen verlangen, dass sie ihre Menschenrechtspolitik verändern?«[47]

Die Unbeteiligten

Im Jahre 2003 wusste die überwältigende Mehrheit der Deutschen über die Probleme der Zukunft Bescheid, tat aber so, als sei dies eine Zukunft, die sie nichts angehe: 76 Prozent sagten voraus, dass die Bevölkerung in Deutschland in den nächsten 30 Jahren schrumpfen wird, und 84 Prozent gingen davon aus, dass das Durchschnittsalter der Deutschen weiter steigen wird. Sehr viele Befragten trauten der Politik nicht zu, die Auswirkungen des demographischen Wandels in den Griff zu bekommen: 76 Prozent stimmten der Aussage zu, dass die Politik nur am Tagesgeschäft interessiert ist und deshalb dringend benötigte politische Entscheidungen vertagt. Dann schlug für die Befragten die Stunde der Wahrheit: Welchen Maßnahmen würden sie zustimmen, um die negativen Auswirkungen des demographischen Wandels zu mildern? Vorgeschlagen wurden längere Lebensarbeitszeit (Zustimmung: 9 Prozent, Ablehnung: 76 Prozent), höhere Renten- und Pflegeversicherungsbeiträge (66, respektive 67 Prozent Ablehnung), Steuererhöhung und so weiter.

Von allen Vorschlägen stimmten die Befragten nur der stärkeren Förderung von Familien (83 Prozent) und der Förderung des ehrenamtlichen Engagements (58 Prozent Zustimmung) zu. Offenbar rechnen sich die Menschen ihr eigenes Alter aus den Zukunftsszenarien heraus; jedenfalls scheinen sie noch nicht zu erkennen, dass sie im Alter unter enormen Rechtfertigungs- und Nachzahlungsdruck geraten könnten.[48]

Wie jene russischen Schachtelpuppen, in der jede Einzelne nach der Öffnung die Nächstkleinere zum Vorschein bringt, wird die Alterung der Welt sich von solchen globalen Zusammenhängen über die Kontinente und Länder in die einzelnen Familien und Menschen, ja bis in jeden einzelnen Zellkern jedes einzelnen Menschen fortsetzen.

So wie die Staaten in ihren unterschiedlichen Altersstufen in neue ökonomische Abhängigkeiten eintreten, so werden sich die Generationen sortieren.

Heute wird schon deutlich, dass ein erheblicher Herd der Unruhe innerhalb der Gesellschaft zwischen Kinderlosen und Eltern schwelen wird; es wird zu Solidarisierungen der einen Fraktion gegen die andere kommen, die Fraktion der Ernährer gegen die Fraktion der Egoisten. Und es bedarf keiner Phantasie, sich auszumalen, dass die Schlacht dort besonders schmerzhaft sein wird, wo Alternde, die weder Kinder noch Eltern haben, sich gegen solche behaupten müssen, die sich hinter die Festungen familiärer Strukturen zurückziehen können.

In Florida, einem der demographisch ältesten Staaten der USA, erproben allein stehende Männer und Frauen neue

Adoptionsformen; sie investieren in die Ausbildung von Waisenkindern in der Erwartung, sich dadurch später im Leben Treue zu sichern. Stimmen die Prognosen nur halbwegs, werden wir in ein paar Jahren auch in Deutschland die Diskussionen führen, die in Florida bereits zu gesellschaftspolitischen Entscheidungen geführt haben. Denn selbst wenn wir morgen in einem Akt beispielloser Massenzeugung die Geburtenrate steigern wollten, würden wir die Folgen höchstens in Ansätzen spüren. Eine erhöhte Geburtenrate würde erst in 30 Jahren die Schrumpfung der Bevölkerung beeinflussen und erst in 60 Jahren zu einem spürbaren Anstieg der Bevölkerungszahl führen. »Sie haben es vielleicht noch nicht realisiert«, schreibt der Ökonom Peter Peterson, »aber die gewaltige Konzentration von Älteren in Florida – 19 Prozent der Bevölkerung – stellt die Zukunft der Menschheit dar. Das heutige Florida ist die *benchmark,* die jede entwickelte Nation in absehbarer Zeit erreichen und übertreffen wird. Italien im Jahre 2003, gefolgt von Japan im Jahre 2005 und Deutschland ein Jahr später, Frankreich und England werden das heutige Florida ungefähr 2016 überrunden, und die Vereinigten Staaten im Jahre 2021.«[49]

Wir werden mit unseren Eltern und womöglich Großeltern auf einer Zeitachse leben. Wir werden aber auch – dafür sprechen alle Daten – mit unseren ebenfalls betagten Kindern zusammenleben.

Gegen die uralten Ängste, die daraus entstehen können, hilft nur, was allen Umstürzen vorherzugehen pflegt: ein Komplott.

Teil 2
Das Komplott

Es geht um eine Verschwörung gegen die besondere Form menschlichen Selbsthasses, die in der Diffamierung des Alters liegt. Unsere Gesellschaften können nicht überleben, wenn ihre künftigen Mehrheiten als störend, verbraucht, vergesslich und als Boten des Todes denunziert werden. Die Katastrophe, die auf uns zukommt, wenn wir die rassistische Diskriminierung der Älteren nicht bekämpfen, trifft nicht unsere Kinder und Kindeskinder oder künftige Generationen oder ein fernes Weltende. Sie trifft uns selbst. Aber erst wenn wir schwach und alt und in unserem Selbstbewusstsein längst ruiniert sind. Hass auf das Alter und die Angst vor ihm sind Urgewalten. Es sind Mächte, die uns beherrschen, wie einst die absolutistischen Tyrannen unsere Ahnen beherrschten.

Es geht hier nicht um eine Modeerscheinung und nicht um eine neue Phase einer gleichsam geriatrischen »political correctness«. Beim Kampf gegen den Altersrassismus meldet sich auch nicht die Eitelkeit von Menschen an, die immer bestimmten, was Jugend bedeutet und nun nicht mehr damit leben können, alt zu sein. Gelingt es uns nicht, das Altern des Menschen neu zu definieren, und zwar als eines der einzigartigsten zivilisatorischen Ereignisse, die Menschen überhaupt beschieden sind, werden wir in eine Zivilisation der Euthanasie eintreten. Wir werden unser eigenes Leben aufs Spiel setzen. Es geht um unser Leben. Doch damit geht es um alles. Indem wir, die Mehrheit der Zukunft, unser Altern neu überdenken, können wir die Einstellung einer ganzen Gesellschaft zum Altern ändern. Denn eine Gesellschaft, deren Lebensperspektiven dramatisch verkürzt werden, weil sie dramatisch altert, hat eine verkürzte Zukunft. Sie verliert eine der kostbarsten Ressourcen: Sie verliert Zeit. Die alternden Gesellschaften des Westens werden mit jungen Gesellschaften in muslimischen Ländern konfrontiert werden, deren fundamentalistische Eliten in Zeitspannen denken, die unser Vorstellungsvermögen sprengen.

Was heute als Zahl in den Statistiken steht, werden wir sein. Man wird vernehmbar über unsere Überzähligkeit diskutieren, über Euthanasie, über die letzten, teuren Wochen in den Krankenhäusern, die so genannte aussichtslose Fälle zu Belastungen des Sozialwesens machen.

Es gibt keinen Erfahrungsbericht darüber, was geschieht, wenn in einer hochmodernen Gesellschaft sehr viele Ältere auf ganz wenige Junge treffen. Wir wissen heute nicht, was es bedeutet, wenn plötzlich die Mehrheit einer Gesellschaft nur noch eine Lebensperspektive von 20 Jahren hat. Projizieren sie ihre eigene Melancholie oder Panik auf die Gesellschaft? Werden die wenigen Jungen in dieser Gesellschaft wie laute, dröhnende Prototypen wirken, die Älteren aber einfach nur wie etwas abgewirtschaftete Gebrauchtwagen im Straßenverkehr?

Verschärft wird die Dramatik dieser letzten zwei Lebensdekaden dadurch, dass unter den Älteren der Jahrhundertmitte mehr Kinderlose sein werden als jemals zuvor. Jedes Kind hat erwachsene Eltern, aber nicht jeder Erwachsene hat Kinder. Es wird viele solcher Erwachsenen geben, die ihr biologisches Programm nicht erfüllt haben oder nicht erfüllen konnten.

Wir leben in einer Informationsgesellschaft. Sie befindet sich durch die auf allen Kanälen milliardenfach verbreiteten Altersstereotypen dem alternden Menschen gegenüber in derselben Lage wie einst die alles verpestende Industriegesellschaft gegenüber der Umwelt. Aus Angst vor ihrer eigenen Selbstzerstörung hat die Menschheit vor gut 30 Jahren schon einmal gelernt: Sie hat, wenn auch widerstrebend, aber doch so nachhaltig, dass eine ganz neue Generation davon geprägt wurde, die Warnungen des »Club of Rome« beherzigt und damit begonnen, ein neues Verhältnis zur Umwelt zu entwickeln. Sie hat ein Bewusstsein für die Natur und ihre Schätze, deren Knappheit und Einzigartigkeit aufgebaut. Wir haben gelernt, die kostbaren Ressourcen der Natur zu respektieren, wir müssen jetzt lernen, die kostbarste Ressource des Menschen, seine Lebenszeit, zu respektieren. Die Industriegesellschaft musste einsehen, dass sie auf die Natur nicht verzichten konnte; die Informationsgesellschaft kann auf die Erfahrungen, das Selbstbewusstsein, das Wissen und die Weisheit der alternden Menschen nicht verzichten.

Schon mehrmals ist es der Menschheit gelungen, ein biologisches Programm zumindest teilweise umzuschreiben. Sie hat aus der Natur, der großen Gegnerin, eine Verbündete gemacht. Sie hat für den unmittelbaren, aber zweifelhaften Gewinn bei der Jagd, den mittelbaren, aber unzweifelhaften Gewinn durch Ackerbau eingetauscht. Sie hat Vorsorge gelernt und eine dadurch immer komplexer werdende Bürokratie entstehen lassen.

Unser Acker ist die Zeit. Der Mensch der Steinzeit wurde keine 40 Jahre alt. Das ist, so paradox es klingt, die Lebensperspektive der Mehrheit der Menschen im Deutschland der nächsten Jahrzehnte. Die Mehrheit wird älter als 40 Jahre sein und damit bei den heutigen Alters- und Rentenideologien nur noch maximal für 25 Jahre Leben und Arbeit einplanen!

Sisyphos, schreibt Camus, steigt immer wieder in den Schmerz und in die Freude hinab. Eine Gesellschaft, der man die Gipfel genommen haben wird, der wird man auch Schmerz und Freude nehmen.

Man braucht einen Heroismus der großen Ebene. Neue Kalender für die Lebenszeit sind notwendig, starke Selbstbilder und die Überzeugung, dass Altern Veränderung, nicht Verhängnis ist.

Erst wenn wir uns mit dem großen Feind, dem Alter, gegen unsere Selbstdiffamierung verbünden, werden wir die Steinzeit hinter uns gelassen haben.

Das Ende des Jugendkults

Wir begegnen diesem blutjungen Elternpaar täglich, in jeder Illustrierten, jedem Fernsehsender, jedem Film. Sie werben für Gerüche und Genüsse, ihre Münder sprechen die Nachrichten und Kommentare, ihre Körper hüllen sich in Stoffe, die weit mehr sind als Textilien. Sie sind die Erzählungen und Versprechungen von einer wunderbaren neuen Welt, Märchen vom Glück, die nie aufhören dürfen, weil sonst, wie bei der schönen Scheherazade in Tausendundeiner Nacht, das Ende drohen könnte. Ich vermute, dass Scheherazade bald aufhört zu erzählen.

Gehen wir gedanklich zurück: Wann eigentlich hat sich die Totalfixierung auf Jugendbilder ökonomisch durchgesetzt?

Es ist noch nicht lange her. Seit Beginn der Sechzigerjahre orientieren die Menschen sich nach der Jugend, in Mode, Musik, Werbung und Film, und das heißt, überall dort, wo wir hinschauen, spielen oder Zerstreuung suchen. Es war Diane Vreeland, Chefredakteurin einer der einflussreichsten Modepublikationen der Welt, der amerikanischen *Vogue*, die den Begriff »Youthquake« aufgriff und verbreitete. Er beschrieb die Sturm-und-Drang-Stimmung, die dieser Tage in der Mode, der Popmusik und Jugendkultur herrschte. Er beschwor ein Desaster, das ein Glück werden sollte: eine neue, riesengroße Gruppe von Konsumenten. Und er markierte den Anfangspunkt des Jugendwahns, der bis heute durch die Werbung in unser Bewusstsein transportiert wird. Die Folge: Da die Mehrheit der Konsumenten tatsächlich immer älter wird, ist in unseren Gesellschaften ein erwachsener Infantilismus entstanden. Es wimmelt von 40-Jährigen, die wie Kinder reden und sich kleiden, und permanenten Kindheitserinnerungen in Fernsehen und Büchern, insbesondere der größten Alterskohorte der zwischen 1970 und 1985 Geborenen.

1967 kauften die 16- bis 19-Jährigen 67 Prozent aller Modeartikel. Spätestens ab 2010 tritt die Vorhut jener kauffreudigen Konsumenten von einst in den Ruhestand. Was dann geschieht, traut sich im Augenblick niemand vorherzusagen. Vermutlich beginnt bereits zwischen 2005 und 2010 eine schleichende Veränderung unserer Kultur. Die Vorwehen dieser Veränderung sind in den Rentendebatten der Gegenwart schon deutlich spürbar.

Der wirkliche Schock ereignet sich vermutlich zwischen 2010 und 2020. Die Generation der zwischen 1960 und 1970 Geborenen wird in diesem Jahrzehnt in ihre ganz persönliche Alterskrise kommen. Angesichts der demütigenden Altersbilder, die in unserer Gesellschaft wohl immer noch kursieren, wird ein Klima großer Traurigkeit und Angst entstehen. Da durch die verlängerte Lebenserwartung auch noch viele Ältere aus anderen Generationen leben, wird es in Deutschland zu einem einzigartigen Mix von völlig unterschiedlichen Generationen kommen, die alle auf die eine oder andere Weise biologisch, gesellschaftlich oder wirtschaftlich als »Alte« gezeichnet sind.

Menschen, die aufs Gymnasium gingen, als Michael Jacksons Karriere auf dem Höhepunkt war, werden dann – 50-jährig – mit den dann 70- bis 80-jährigen Achtundsechzigern und womöglich auch noch der Generation des Zweiten Weltkriegs auf der »alten« Seite der Gesellschaft als neue gesellschaftliche Mehrheit zusammenleben. Damit aber noch nicht genug. Denn während all dies geschieht, werden die alternden Babyboomer der USA ihr eigenes Altern globalisieren, wie sie einst ihre Jugend vermarkteten. Dabei geht es um eine Generation, die die Kontrolle über 70 Prozent des Vermögens in den USA haben wird.[50]

Die Babyboomer revolutionierten die Welt

Was »Jugendwahn« genannt wird, ist ein Kaufkraftphäno- men. »Diese Generation gräbt sich durch die Gesellschaft wie ein Trüffelschwein«, schreibt die Anthropologin Helen Fischer, »und verändert die Geschichte mit jedem Tag, den sie älter wird.« Die Babyboomer haben alles verändert, was je unter dem Begriff Kindheit und Jugend verstanden wurde. Sie haben die Welt durch ihre pure Masse verwandelt; denn ihre Masse schuf eine Kaufkraft, wie sie noch niemals zuvor in den Hän- den einer Jugend lag.

Ken Dychtwald ist ein typisches Mitglied dieser Genera- tion. Seit 20 Jahren wartete er darauf, dass seine Zeit kommt. Geboren und aufgewachsen im Amerika der 50er Jahre, stu- dierte er im Kalifornien der frühen 70er Jahre und interes- sierte sich für Yoga und die Wirkung fernöstlicher Praktiken auf die westliche Seele. Schon bald fiel ihm auf, dass jene typische Mischung von Pop, Politik und Siddhartha, die die Universitätsstädte und Metropolen in Windeseile verwandelt hatte, weniger mit Überzeugungen als mit der puren Macht der Masse zu tun hatte. Und da er sich ausrechnen konnte, dass jede Krise dieser riesenhaften Generation zu Erschütte- rungen des ganzen Landes führen würde, begann er aus dem Studium der eigenen Ängste Mitte der 80er Jahre ein Ge- schäftsmodell zu entwickeln. Im Rückblick hat er geschildert, wie ihm Anfang der 80er Jahre als angestellter Experte des US-Kongresses die Erleuchtung kam: »Ich spürte Beklemmung, als ich realisierte, dass die nächste Gruppe von Älteren nicht die Generation meiner Großeltern sein würde; auch nicht die Generation meiner Eltern. Nein, die Älteren von morgen würden die Babyboomer sein – meine Generation.«[51] Heute hat Dychtwald gemeinsam mit seiner Frau ein ansehnliches Imperium für Altersfragen aufgebaut, und er selbst sieht sich als Tiger auf dem Sprung. Die Boomer-Generation, jene Alterskohorte, die seit Ende der 40er Jahre bis Mitte der 60er Jahre auf die Welt kam, hat die Welt nicht durch Krieg, sondern ihr Dasein verändert. Hier Dychtwalds Phänomenologie:

- »Boomer haben nicht nur Nahrung gegessen – sie haben die Snacks, die Restaurants und die Supermarktindustrie umgewandelt.
- Boomer haben nicht nur Kleider getragen – sie haben die Modeindustrie verändert.
- Boomer haben nicht nur Autos gekauft – sie haben die Autoindustrie transformiert.
- Boomer hatten nicht nur Rendezvous – sie haben die sexuellen Rollenbilder und Praktiken verändert.
- Boomer sind nicht nur zur Arbeit gegangen – sie haben den Arbeitsplatz revolutioniert.
- Boomer haben nicht nur geheiratet – sie haben nach Jahrtausenden das Wesen der menschlichen Beziehungen und ihrer Institution verwandelt.
- Sie haben sich nicht nur Geld geliehen – sie haben die Finanzmärkte verändert.
- Sie haben nicht nur Computer benutzt – sie haben die Technologien verändert.«

Machen Sie sich bewusst, wenn es dessen jetzt noch bedarf: Diese Menschen, die einen ganzen Planeten umgeformt und nach ihrem Antlitz geprägt haben, gehen vom Jahre 2010 an in Rente. Der Verrentungsprozess dauert mindestens bis 2029. Dann erst beginnt der Ruhestand für die 1964 Geborenen, den geburtenstärksten Jahrgang.

Dieser Ruhestand wird alles durcheinander wirbeln. Zum ersten Mal seit Woodstock steht der Generation, um deretwillen auch der Begriff »Teenager« geprägt wurde, wieder ein kollektives Generationenerlebnis zur Verfügung. Zwar hat es in Deutschland weniger Boomer gegeben als in Amerika, und in Deutschland fällt die Kohorte auch eher in die Jahre 1960 bis 1964. Aber das ändert nichts daran, dass sich für das viel stärker alternde Deutschland die kulturelle Erfahrung der 50er und 60er Jahre wiederholen wird. Die alternden und auch die sterbenden Boomer Amerikas werden eine neue Kultur hervorbringen, die uns prägen wird.

Die USA bereiten sich auf das große Beben in gewaltigem Umfang vor. Es gibt unzählige Institutionen, Organisationen, Lobbyisten, Firmen, Webpages, die sich auf den Altersschock der Gesellschaft vorbereiten. Noch kommen sie nicht zum Zuge, weil ein Großteil der im Jahr 1946 Geborenen noch arbeitet. Doch es sieht so aus, als ob zumindest diese eine Hälfte unseres Planeten soeben damit begonnen hätte – murmelnd, zögernd, neugierig! –, in die Kristallkugel eines zukünftigen Selbst, des eigenen Alterns zu blicken. Mit ungläubigem Staunen hat die *New York Times* soeben die 11. Ausgabe des *Merriam-Webster* gelesen. Ein Wörterbuch ist bekanntlich eine präzise Quelle für sozialen Wandel, denn es ist so etwas wie die materielle Ressource unseres Denkens.

Nicht dass in diesem *Duden* der Amerikaner in den letzten vier Jahren 10 000 neue Einträge aufgenommen worden sind, macht die neue Ausgabe so spektakulär. Sondern dass zum ersten Mal Gesundheits- und Medizineinträge die Stichworte aus dem Bereich der Technologie und Computerwissenschaften übertrafen – und dass 40 Prozent der medizinischen Begriffe irgendetwas mit dem Altern zu tun haben.

In einem Interview mit der *New York Times* gibt der Chef des Hauses die einzig sinnvolle Erklärung für diesen *shift*: Die Babyboomer haben begonnen, sich mit ihrem eigenen Altern, aber auch mit dem Altern ihrer Eltern zu beschäftigen. Und dann sagt dieser Hüter des Wortschatzes der USA: »Die Babyboomer haben auf ihrer Lebensbahn alles verändert. Wir erleben jetzt das letzte und größte Beispiel der Veränderung, das Altern der Boomer. Wer glaubt, dass die Boomer als Teenager genervt haben und dass sie als junge Erwachsene unausstehlich waren, der wird sich über die Boomer als Ältere wundern. Sie werden ein Maß an Gesundheitsfürsorge und Zuwendung verlangen, das zumindest dem ihrer Eltern entspricht, obwohl die Eltern eine viel kleinere Gruppe waren. Die Boomer werden die Gesellschaft zwingen, sich mit Gesundheitsfürsorge zu beschäftigen, und sie werden uns zwingen, uns mit Gerontologie zu beschäftigen, ob wir wollen oder nicht.«[52]

Vor allem werden sie gezwungen sein, sich mit sich selbst zu beschäftigen; die schwarzen Altersbilder, die unter tätiger Hilfe dieser Generation geprägt worden sind, treffen sie nun selber. Amerika zeichnet mit Seismographen die ersten Ausläufer dieses Bebens auf. Das ungleich gefährdetere alte Europa ist völlig unvorbereitet. Damit trifft dort alles zusammen:

- die geringe Geburtenzahl,
- der Jugendwahn der alternden Babyboomer,
- die längere Lebenserwartung aller.

Natürlich haben wir längst gemerkt, dass unser Jugendkult mit den Tatsachen nicht mehr übereinstimmt. Natürlich lässt sich die Seele nicht auf Dauer belügen: Auch der naivste 40-Jährige merkt irgendwann, dass er nicht mehr jung ist. Der Ausweg, den die westlichen Kulturen, vor allem die Deutschen, gewählt haben, zeigt sich an der Infantilisierung von Medien, sozialen Rollen und der Öffentlichkeit. Die Tatsache, dass in Ländern, in denen nicht mehr so viele Kinder geboren werden, seit Jahren Jugendbücher wie Harry Potter an der Spitze der Bestsellerlisten stehen, lässt keine Zweifel darüber zu, wer eigentlich diese Bücher liest. Das Gleiche gilt für Revival-Kults bei Getränken, Nahrungsmitteln, Autos, Filmen und Fernsehsendungen – sie alle sind gleichsam der Erinnerungsinhalt einer Generation, die keine anderen historischen Erfahrungen gemacht hat.

Werbemanager und Filmindustrie haben die veränderte Lage offenbar noch immer nicht begriffen. Von ihnen hängt es aber ab, wie die künftigen Älteren ihre gesellschaftlichen Rollen leben – und was noch wichtiger ist: wie die nachwachsende Jugend in den großen Umformungsprozess der Gesellschaft einbezogen wird.

Junge Menschen werden durch Kultur sozialisiert und als Generation definiert; ältere beziehen aus ihr große Teile ihres Lebenssinns. Dieter Gorny etwa, Chef des deutschen Musiksenders VIVA, beobachtet das Entstehen von »schwarzen Löchern« innerhalb der Gesellschaft. Haben noch in den 90er Jahren jugendliche, ja kindliche Käuferschichten einem Popstar zum Erfolg verholfen, so erweitert sich der Altersradius, und Stars werden als Sprecher für Zeichentrickfilme engagiert, weil sie familientauglich sein müssen; wer mit den Altersgruppen nicht mehr mitaltert, hat keine Chance mehr. Die nachwachsende Population ist zu klein, und ihre Kaufkraft reicht nicht aus, als dass sie mit den Älteren konkurrieren könnte.

Frühere Gesellschaften, in denen Ältere eine Rarität waren, haben sich der Weisheit und Erfahrung des Nächstälteren bedient, um die Äcker zu bewirtschaften und den Nachwuchs großzuziehen. Nur wenn wir diese Kraft in uns selber entdecken und dem Selbsthass, der Abwehr und Angst des alternden Menschen andere, letztlich väterliche und mütterliche Gefühle entgegenstellen, können wir in Zukunft damit rechnen, den Kontakt mit den Nachwachsenden zu halten und sie zu ermutigen, selber Kinder in die Welt zu setzen.

Jugend, Schönheit, Fortpflanzung

Masse und Geld: Es gibt Leute, die glauben – und ich beneide sie nicht um ihren Optimismus –, damit wäre alles gesagt. Wir werden nicht nur viele sein, wir werden, wie wir gesehen haben, auch über die Kaufkraft verfügen, die Gesellschaft nach unseren Wünschen umzubauen. Was unseren älteren Brüdern oder jüngeren Eltern auf der Carnaby-Street gelang, soll uns, den Nachgeborenen aus drei Jahrzehnten, nicht gelingen?

In den USA altern die Boomer. Aber es bleiben auch die Geburten konstant. Wir Europäer altern, und es wachsen immer weniger nach. Deshalb altert bei uns das ganze Land, in den USA aber nur ein Markt. Es wird zu spät sein, wenn wir auf das Jahr 2020 warten, um die Erfahrung zu machen, dass zum ersten Mal in unserem Dasein Leben nicht nur ein Spiel, sondern tödlicher Ernst ist.

Viele Junge mit Kaufkraft sind etwas grundsätzlich anderes als viele Alte mit Kaufkraft. Junge sorgen vor und bauen auf. Bei den Jungen zahlt die Natur täglich noch eine Prämie dazu – nicht für den Einzelnen, sondern für alle. Sie besteht aus Kraft, Innovation, Vermehrungstrieb. Ältere verbrauchen ihre Reserven und Rücklagen. Bei den Älteren zieht auch die Natur ab, und zwar, wie wir an anderer Stelle sehen werden, bereits ab dem 45. Lebensjahr. Dies entspricht ökonomisch Franco Modiglianis »Lebenszyklus-Hypothese«, wonach während des Berufslebens verstärkt gespart wird, aber danach ein größerer Anteil des verfügbaren Einkommens konsumiert wird.

Wo Biologie und Wirtschaft den alternden Menschen um

seine Ersparnisse bringen, kann die Kultur nicht zurückstehen. Sie produziert Vorstellungen über den älteren Menschen, als handele es sich bei ihm um die abartige Seite derselben Spezies. Der Ältere, um ein ganz harmloses Beispiel zu nennen, gilt als engstirnig, konservativ, egoistisch und pessimistisch. Unsere Kultur suggeriert jedem Einzelnen von uns, dass er im Laufe seines Lebens gewissermaßen vollständig ausgetauscht wird. Anders ausgedrückt: Wir werden, wenn wir älter werden, von unserer Gesellschaft systematisch um die Reserven gebracht, die uns die Natur noch nicht genommen hat.

Wo immer wir hinschauen, in jeder Zeitschrift, jeder Fernsehsendung sehen wir die Modelle eines Daseins, das nicht das unsere ist und niemals sein wird. Das blutjunge Elternpaar, das wir auf den Werbeplakaten sehen, ist als Prototyp nicht nur demographisch gesehen paradox. Dieses Ideal von Schönheit und Jugend macht uns schuldbewusst und unglücklich, selbst wenn wir noch jung sind. Es ist selbstverschuldetes Unglück und weckt in ganzen Generationen das Gefühl, ungeliebt und gestraft zu sein.

Sollten die Archäologen einer fernen Zukunft unsere Film-, Fernseh- und Medienarchive entsiegeln, so werden sie anstelle von Statuen und Krügen immer wieder nur die Bilder von jungen, schönen Frauen und jungen, schönen Männern finden.

Die Forscher der Zukunft werden auch ein paar unserer Knochen untersuchen. Sie werden feststellen, dass unser Körperbau meist etwas anders war als der auf den Bildern. Sie werden außerdem feststellen, dass wir sehr viel älter als die Generationen vor uns geworden sind. Und sie werden aus den Archiven noch etwas anderes erfahren: dass seit Ende des 20. Jahrhunderts ein Einbruch der Fertilität stattgefunden hat. Die Menschen, deren Überreste da begutachtet werden, haben sich offenbar immer seltener fortgepflanzt. Die For-

76

scher, die die aufreizenden Menschenpaare auf den Fotos der Mode- und Körperindustrie entdecken und gleichzeitig feststellen, dass wir uns kaum noch fortgepflanzt haben, müssen annehmen, dass sie auf einen Fruchtbarkeitskult der aussterbenden Europäer zu Beginn des 21. Jahrhunderts gestoßen sind. Film-, Fernseh- und Werbestars sollten offenbar zur Reproduktion anregen.

Tatsächlich ist unsere Kultur in den letzten Jahrzehnten von zwei biologischen Urbedürfnissen geprägt, ja verwandelt worden. Zum einen wollten die Menschen ihr Altwerden verzögern oder verdecken, durch Kosmetik, Sport, Medizin, Ernährung. Zum anderen erlaubte die moderne Medizin ein Ausleben der Sexualität ohne das Risiko einer Fortpflanzung. Kosmetik- und Lifestylefabriken, wie auch Pharma- und Medienindustrie haben Weltbilder entworfen und durchgesetzt, die mit denen der Religion, Philosophie und Politik vergangener Jahrhunderte offenbar mühelos konkurrieren konnten.

Jetzt aber wird das Zwangssystem von Jugend, Schönheit und Sexualität für die neue Mehrheit der Menschen zur Bedrohung. Schon zerspringt das Glas; in wenigen Jahren stehen wir vor den Scherben dieses Weltbilds wie vor einem zerbrochenen Spiegel, in dem wir uns nicht mehr wiedererkennen können.

Wir wissen, das Alter wirft seine Schatten schon auf die 30-Jährigen, und es vermummt bereits manche 40-Jährige mit Melancholie und Traurigkeit.

Die Gruppen älterer Menschen, die sich durch ihre graue Kleidung unauffällig machen, nennt Konrad Lorenz die »anonyme Schar«. »Das dichte Zusammenhalten der Schwärme der völlig Wehrlosen«, schreibt er, »liegt an einer Schwäche der Raubtiere: Diese Schwäche liegt darin, dass sehr viele, vielleicht alle auf ein Beutetier jagenden Raubtiere unfähig sind, sich auf ein Ziel zu konzentrieren, wenn gleichzeitig viele andere gleichwertige umherflitzen.«[53] Die älteren Menschen fühlen sich von einem besonderen Raubtier bedroht, der Jugend.

Vermutlich sind die schon früh ausbrechenden Gefühle der eigenen Hinfälligkeit und Vergänglichkeit evolutionäres Erbe aus einer Zeit, in der der Mensch nur 30 oder 40 Jahre alt wurde. Wir leben und sind noch jung, während in Wahrheit das biologische Programm in uns bereits abläuft. Das ist die individuelle Situation. Für die alternde Gesellschaft aber gilt das auch: Sie funktioniert noch, während in ihr, wie in einem Uhrwerk, bereits die Stunde festgelegt ist, da ein Alarm ertönt – der Weckruf mehrerer Generationen.

Warum wir uns so schämen, alt zu werden

Schieben wir jetzt den Vorhang ein klein wenig zur Seite, der uns von einem Schattenland trennt, vom »waste land« unserer Biographie, von jenen öden Landstrichen, die wir gern aus unseren Gedanken verscheuchen. Dort, in dieser unendlichen Ebene ohne Gipfel und ohne Täler, dort zwischen den Aschen und Nebeln, sind wir ja selbst, sind die, die wir einmal sein werden.

Sie sind heute 30, 40, 50 Jahre alt oder älter. Schon mit 30 erwischt es viele von uns, Frauen wie Männer. Sie spüren das Alter gar nicht. Sie sehen es. Sie fahnden nach seinen verräterischen Indizien wie die Polizei bei der Spurensicherung. Daraus rekonstruieren sie die Tat, deren Zeuge sie nicht sind: das Altwerden.

Das Gefühlsgefälle zwischen dem, was Sie im Spiegel sehen, und dem, was Sie fühlen, jagt Sie in den darauf folgenden 30 bis 40 Jahren mit längeren oder kürzeren Aufschwüngen von einem Abgrund in den nächsten. Das liegt daran, dass Ihr Bewusstsein raum- und zeitlos, Ihre körperliche Hülle aber zeitgebunden und die Rentenversicherungsmathematik, mit der Sie sich die verbleibenden Jahre ausrechnen, unerbittlich ist. An jedem neuen Wendepunkt, 30, 40, 50, 60 und so weiter werden Sie sich verfluchen, dass Sie die vorangegangene Zeitspanne nicht mehr genossen haben, sondern sich zermürbt haben in Angst und Sorge.

Das hat damit zu tun, dass man das Alter als öffentlichen Akt erlebt und der öffentliche Blick auf den alternden Menschen gerade in seiner Blindheit böse ist. Die Abwesenheit des älter werdenden Menschen in Fernsehen, Film und Werbung macht das individuelle Altern nur noch auffälliger; der Prozess des Alterns wird als Anomalie empfunden, die nicht nur einen ästhetischen und körperlichen Verstoß signalisiert, sondern eine Art Infektion, eine ansteckende Krankheit, deren Berührung man meidet.

»Weil Altern in unserer Gesellschaft ein Tabu ist«, schreibt der Schriftsteller Max Frisch in seinem Tagebuch, »daher als innere Erfahrung kaum zur Sprache kommt, hingegen mit allen körperlichen Indizien öffentlich in Erscheinung tritt, neigen wir dazu, in erster Linie die körperlichen Indizien zu fürchten – die bekannten Alters-Erscheinungen: Ausfall der Zähne, Glatze, Säcke unter den Augen, Runzeln, Gebrechen usw., eben was der Umwelt sichtbar wird trotz Tabu.«

Die Natur rechnet. Und wir tun es auch. Überall werden schon jetzt die Rechnungen darüber aufgemacht, wie hoch unser gesellschaftliches Investment am menschlichen Leben eigentlich einzuschätzen sei, anders ausgedrückt: welche ärztlichen Leistungen eigentlich lohnen.

Nur deshalb nämlich empfinden Alte jenes merkwürdige Gefühl von *Scham,* das man kennt, wenn man sein Konto überzogen oder sein Geld verspielt hat. Natürlich gibt es keine »Botschaft« der Natur, sie spricht nicht, nirgendwo kann man nachlesen, dass sie sagt: »Schafft die Alten ab!« Aber wir können sie lesen, wie wir die Geschäftsbücher eines sehr strengen und dabei nur auf den kurzfristigen Profit konzentrierten Ökonom lesen, wie der Evolutionsbiologe Richard Dawkins klar gemacht hat.

Sie hat nichts anderes im Sinn als die Vermehrung ihres Kapitals, das heißt des Erbguts. Natürlich lernt sie aus Fehlschlägen. Sie hat gelernt, dass es keinen Sinn macht, die Eltern des Kindes gleich sterben zu lassen, weil dann der Nachkomme keine Überlebenschance mehr hätte. Also gibt sie den Menschen die nötige Zeit, die Kinder zu erziehen. Dann aber, mit 50, 60 Jahren, beginnt sprunghaft der Prozess des biologischen Alterns.

Da auch unser Gehirn Natur ist, bringen wir die Überlebensregeln unserer Art so zum Ausdruck, dass unsere Spezies sie verstehen kann. Unsere Erzählungen haben ganz offensichtlich für uns die gleiche Funktion wie die endlosen Unterrichtsstunden, die beispielsweise Schimpansen von ihren Müttern erhalten. Kaum sind unsere Kinder in der Lage, ihre lieben Großeltern lächelnd zu erkennen, hören sie Märchen, in denen alte Menschen offenbar Lust haben, kleine Kinder aufzufressen wie bei *Hänsel und Gretel,* oder sie zu einem anderen Lebewesen zu verwandeln wie in *Zwerg Nase.* Offensichtlich soll man das Alter fürchten, meiden und vorbereitet sein für einen Kampf, in dem Alte die Jungen auf den Tod bekämpfen.

Erst ganz spät – und zwar dann, wenn es leider wirklich schon *zu* spät ist – scheinen die Alten zu kapieren, dass sie sich durch biologischen Zwang, nämlich den tief verwurzelten Zwang zur sexuellen Attraktivität zwecks Fortpflanzung, ein Leben lang selbst vergifteten. Die Forschung hat nämlich gezeigt, dass nur sehr wenige alte Menschen Aussagen über ihr Äußeres abgeben, sich also über ihr Äußeres definieren, was »im deutlichen Gegensatz zu den Aussagen steht, die man erhält, wenn man jüngere Erwachsene bittet, alte Menschen zu beurteilen.«[54] Nach gelebten Jahrzehnten zwischen Kosmetika, Visagisten und Liftings verabschiedet sich der Mensch in unseren Breiten offenbar vom Terror des Gesichts. Die ästhetisch-biologische Prägung ist freilich immer noch so groß, dass Alte über andere Alte so reden und denken, wie das Junge tun.

Sie werden sich fragen, ob damit – wie jetzt schon in den USA – eine Art Jute-und-Öko-Altern ohne Schminke und ohne Verkleidung propagiert werden soll. Die Antwort lautet, dass hier nichts propagiert, sondern Propaganda liquidiert werden soll. Das Methusalem-Komplott der Alten gegen die Ideologie der Jungen kann nur ein einziges Ergebnis haben: Möglichkeiten der Freiheit zu schaffen, Entscheidungsräume der freien selbstbestimmten Wahl zu öffnen, und zwar dort, wo sie dem Menschen in atemberaubender Weise geraubt werden: in seinem Altern.

Ich bin mir durchaus darüber im Klaren, dass auch eine Mehrheit der Älteren nicht alles verändern kann oder auch nur verändern sollte. Es vergeht kein Tag, da die Medien nicht irgendwelche Leute zeigen, die ihre Körper mit Ringen und Messern, mit Tattoos, Operationen oder Implantaten tunen. Uns sollte weniger interessieren, was Einzelne mit ihrem *eigenen* Körper anstellen, sondern mehr, was die Gesellschaft aus *unserem* Körper macht. Denn es sind die anderen, die unseren Körper, wenn wir älter werden, sehr schmerzhaft mit Zeichen und Schnitten tätowieren. Man sieht sie nicht, aber man spürt sie. Zum Beispiel darin, dass Ältere, wenn sie überhaupt in Fernsehfilmen existieren, lange Zeit nur als Bewohner von Krankenhäusern oder Konsumenten von Medikamenten, Haftcremes für Gebisse und Blasentees auftauchten. Eine Gesellschaft, die wie die unsere immer stärker auf Rollenvorbilder durch die Medien angewiesen ist, weil alle anderen Überlieferungen abgerissen sind, flickt den Körper eines älteren Menschen zusammen wie Frankenstein sein Monster, um ihn am Ende schließlich aus ihrer Gemeinschaft auszustoßen.

Sie können sich also entscheiden, ohne kosmetische oder chirurgische Eingriffe zu altern, sie können sich schminken, maskieren, verjüngen, sie können sich vom Terror des falten-

losen Gesichts antreiben lassen oder befreien – ausschlagge-
bend ist, dass keine dieser Haltungen natürlich oder unnatürlich, authentisch oder unauthentisch ist. Unsere kollektive
Seele redet uns freilich genau das ein, und sie tut es aus einem
einzigen, einem steinzeitlichen Grund. Die Natur ist einzig
und allein am Fortpflanzungserfolg interessiert, und nirgendwo spüren wir diese Erfolgsversessenheit stärker als in
den Fragen des Aussehens und des Körpers. Menschen, die
sich jünger machen, als sie sind, und die Umwelt über ihre
Fortpflanzungsfähigkeit täuschen, sind enorme Risiken. Sie
reduzieren automatisch den Fortpflanzungserfolg des jüngeren Mannes oder der jüngeren Frau. Das ist der Grund,
warum wir über das auf jung gemachte Aussehen moralisch
urteilen. Begriffe wie »Betrug« oder »Echtheit«, »Wahrheit«
oder »Authentizität« werden, wenn es um das Aussehen von
Menschen geht, absurderweise sogar von der Kosmetikindus-
trie benutzt. Die Energie ist bemerkenswert, die unsere Gesellschaft dafür aufwendet, einerseits Jugend als Ware zu ver-
kaufen und andererseits jeden anzuprangern, der sich dieser
Ware bedient. Frauen, die älter werden und sich auf jung
schminken oder kleiden, zum Schönheitschirurgen gehen,
reifere Männer, die das Gleiche tun, Männer und Frauen, die
Extremsportarten betreiben – all das wird in unserer Gesellschaft entweder leise belächelt oder sozial zensiert. Dieses
Verhalten gilt als unauthentisch, gar als Vortäuschung und Betrug. Aber dieses gesellschaftliche Urteil hat nichts mit zivilisatorischen Standards zu tun; es ist ein Urteil aus dem Tierreich und heißt nichts anderes, als dass diejenigen, die sich
nicht mehr reproduzieren können, nicht so tun dürfen, als
könnten sie es noch.

In Thomas Manns Novelle *Der Tod in Venedig* weckt ein
junger, lustiger und gut aussehender Mann das Interesse Gustav

Aschenbachs, des alternden Helden. Kaum aber hatte er ihn schärfer ins Auge gefasst, »als er mit einer Art Entsetzen erkannte, dass der Jüngling falsch war. Er war alt, man konnte nicht zweifeln. Runzeln umgaben ihm Auge und Mund. Das matte Karmesin der Wangen war Schminke, das braune Haar unter dem farbig umwundenen Strohhut Perücke, sein Hals verfallen… und seine Hände, mit Siegelringen an beiden Zeigefingern, waren die eines Greises.« Sofort spricht das Tierreich in dem kultivierten Herrn von Aschenbach. Er will den gefälschten Jüngling aus der Gemeinschaft vertreiben: »Schauerlich angemutet sah er ihm und seiner Gemeinschaft mit den Freunden zu. Wussten, bemerkten sie nicht, dass er alt war, dass er zu Unrecht ihre stutzerhafte und bunte Kleidung trug, zu Unrecht einen der ihren spielte?«

Hier ist der moralische Befehl, der ältere Mensch möge entweder Teil einer anonymen Schar sein oder gefressen werden, einmal hohe Literatur geworden.[55] Wer sich schminkt, lügt. Aber wer sich nicht schminkt, lügt auch. In kriegsbedrohten oder seuchengeschüttelten Gesellschaften, die dem Tod täglich ins Gesicht sehen, ist das Gefühl für die eigene Vergänglichkeit so groß, dass die Haut selber als Kostümierung verstanden wird. »Die Schönheit des Körpers«, zitiert der große Mittelalterforscher Johan Huizinga eine alte Handschrift, »besteht allein in der Haut. Denn wenn die Menschen sähen, was unter der Haut ist… würden sie sich ekeln… Wenn wir nicht einmal mit den Fingerspitzen Schleim oder Dreck anrühren können, wie können wir dann begehren, den Dreckbeutel zu umarmen?«[56]

Becca Levy, eine der Autorinnen der Ohio-Langzeitstudie über das Altern, glaubt, dass diese Gespaltenheit über unsere eigenen Körper direkten Einfluss auf die Alterungsprozesse selbst hat. Offenbar verdienen diejenigen Menschen sich das

Geschenk eines längeren Lebens, die bereit sind, das Alter zu leugnen – zumindest die gesellschaftlich indoktrinierte Version des schlechten Alters. »Es wird interessant sein zu sehen, wie die Babyboomer mit der Leugnung des Alters umgehen. Ist es besser, das Altern mit offenen Armen zu empfangen, oder ihm sogar mit Botox zu widerstehen? Wir haben diesen Zusammenhang noch nicht ganz verstanden.«[57]

Der überschuldete Körper

Wir sehen überall schon die Risse an den Außenwänden der Norm vom unauffälligen Altern; wir werden auch ihren Sturz erleben. »Methusalem war 187 Jahre alt und zeugte Lamech; und lebte darnach 782 Jahre und zeugte Söhne und Töchter; daß sein ganzes Alter ward 969 Jahre, und starb.«

Anders als die griechische Antike bei dem greisen Tithonos redet die Bibel bei ihrem Ältesten nicht von Altersschwäche und Greisentum, sondern von Fruchtbarkeit und Stärke. Und deshalb ist der mächtige Methusalem die Figur, in der unserer Zukunft Gestalt zitierbar wird.

Die zweite sexuelle Aufklärung wird sich an den äußeren Fronten der alternden Gesellschaft abspielen, unterstützt von Herstellern von Medikamenten wie »Viagra« – die Antwort der alternden Gesellschaft auf die Pille.

Italo Svevos Traum, geträumt bei der letzten Jahrhundertwende – die Verjüngung des alten Herrn durch das junge Mädchen –, wird jetzt 100 Jahre später zum pharmakologischen Massenereignis; ein Ereignis, das im Unterbau der Gesellschaft enorme Unruhe erzeugen wird.

Im Abstand von 100 Jahren wird der biologische Code – wer sich fortpflanzt, stirbt nicht – von Schriftstellern auf die

85

Gesellschaft übertragen. Svevo lässt seinen alternden Helden, der eine bezahlte Liebesbeziehung zu einer jungen Straßenbahnschaffnerin unterhält, gewissermaßen die abstrakte Theorie des Generationenvertrags anstellen: »Der alte Herr entdeckte, dass der Jugend auf dieser Welt etwas fehlte, was die Jugend noch schöner machen würde: gesunde alte Menschen, die sie lieben und ihr beistehen.«

Was diese Revolution schon unter heutigen Bedingungen bei einem Nachfahren Svevos bedeutet, zeigt ein Blick in Philip Roths Roman *Der menschliche Makel*, wo es über die Hauptfigur heißt: »Ich bin ein 71-jähriger Mann mit einer 34-jährigen Geliebten und somit im Gemeinwesen Massachusetts nicht mehr geeignet, irgendjemand zu belehren. Ich nehme Viagra, Nathan. *Das* ist La Belle Dame sans Merci. All dieses Glück, all diese Turbulenzen verdanke ich nur Viagra. Ohne Viagra wäre das alles nicht passiert. Ohne Viagra hätte ich ein zu meinem Alter passendes Weltbild und vollkommen andere Ziele. Ohne Viagra besäße ich die Würde eines älteren Gentleman, der kein Verlangen verspürt und sich korrekt benimmt. Ich würde nichts Unvernünftiges tun. Ich würde nichts tun, das unschicklich, übereilt, unüberlegt und für alle Beteiligten möglicherweise katastrophal ist. Ohne Viagra könnte ich in den letzten Jahren meines Lebens fortfahren, die weite, unpersönliche Perspektive eines erfahrenen und in Ehren pensionierten Mannes zu entwickeln, der die sinnlichen Genüsse des Lebens schon längst aufgegeben hat. Ich könnte fortfahren, tiefgründige, philosophische Schlüsse zu ziehen und stützenden moralischen Einfluss auf die junge Generation zu nehmen, anstatt mich dem sexuellen Rausch und dem damit fortwährenden Ausnahmezustand hinzugeben.«

Als in einer Muttertagsausgabe der *New York Times* eine gewisse Jane Juska gefeiert wurde, weil sie in einer Anzeige nach einem Mann suchte, mit dem sie »vor meinem bevorstehenden 67. Geburtstag eine Menge Sex« haben wollte, begann eine vehement geführte Debatte über die zweite sexuelle Befreiung der Frau. Die ehemalige Englischlehrerin mit hohem Bildungsgrad spielt den Typus der – von Brecht so genannten – »unwürdigen Greisin«; sie hat mittlerweile einen Bestseller geschrieben, der ihre Erfahrungen schildert. Fälle wie diese sind wahrscheinlich noch die harmlose Variante all dessen, was die nächsten Jahrzehnte bringen werden.

Für unsere Kultur aber bedeuten sie, dass einerseits Attraktivität, Sexualität und Todesnähe eine neue Definition erfahren werden. Andererseits werden Familien, Ehen, Liebes- und Partnerschaftsbeziehungen die Revolution des 20. Jahrhunderts überhaupt erst zu Ende bringen. Schon heute gehört es zum Allgemeingut weiter Teile der Gesellschaft, dass Ehe, Partnerschaft und die daraus bezogenen zwischenmenschlichen Werte der dramatisch verlängerten Lebenserwartung womöglich nicht mehr entsprechen. Nicht nur unsere Diskriminierung des Alters ist biologisch bestimmt; auch unsere Vorstellung vom Zusammenleben zweier Menschen, ihrer Fortpflanzung und Familienbildung stammt aus urzeitlichen Verhaltensprogrammierungen.

Aufgrund der höheren Lebenserwartung verschieben viele Frauen ihren Kinderwunsch bis kurz vor den Zeitpunkt, wo sie aus biologischen Gründen keine Kinder mehr bekommen können. Das Ende der fruchtbaren Phase bei Frauen hat sich freilich – anders als beim Mann – trotz gestiegener Lebenserwartung nicht nach hinten verschoben, sondern – obwohl selbst das strittig ist – nach vorne; nach wie vor nimmt die Wahrscheinlichkeit einer Schwangerschaft nach dem 40. Lebensjahr drastisch ab.

Die Abschwächung der Zeugungsfähigkeit bei Männern ist

wesentlich geringer, die Praxis durch Medikamente wie Viagra sogar zusätzlich erleichtert. Dieses Auseinanderdriften von Lebensläufen kann unser Leben auf Dauer verändern: Männer, die zwei-, drei- oder fünfmal heiraten und sich entsprechend reproduzieren, werden aufgrund der Genveränderung im Alter ein Risiko für den Genpool; eine nachwachsende Generation könnte zu einem wachsenden Teil ältere, mehrfach verheiratete Väter haben, die gleichzeitig Urgroßväter anderer Abstammungslinien sind.

Die Babyboomer haben in der Chronologie ihres Alterns alle sozialen Beziehungen revolutioniert – von der »Teenager«-Lovestory bis hin zu Ehe, Partnerschaft und zur eigenen Elternschaft. Im London der 60er Jahre oder in Paris des Jahres 1972, in San Francisco oder New York haben sie Wohn- und Lebensgemeinschaften geschaffen, die buchstäblich über Nacht alle moralischen Normen ihrer jeweiligen Zeit brachen. In den nächsten 30 Jahren werden sie es sein, die die Liebes- und Lebensformen der zweiten oder letzten Lebenshälfte revolutionieren werden. Einst revoltierten sie gegen die Hierarchien der Urhorde, die unsere biologische Erbmasse den Gesellschaften eingeschrieben hatte. Jetzt sind sie im Begriff, diesen Kampf ein weiteres Mal zu führen. Jetzt geht es um das Schuld- und Minderwertigkeitsgefühl des gealterten Lebewesens, das sich nicht mehr fortpflanzen kann und zu nichts mehr taugt. Und es geht um das Verbrechen, das wir begehen, wenn wir uns jünger fühlen, als die Gesellschaft uns macht.

In den folgenden Kapiteln werden wir uns mit den drei Arten befassen, in denen uns diese Schuld aufgezwungen werden wird. Die ökonomische Schuld ist die realistische Schuld; hier geht es um die Implosion eingespielter Versorgungssysteme durch Schulden und Defizite aufgrund der Masse an alternden Menschen und des Fehlens von jungen Leuten.

Gleichzeitig entsteht biologische Schuld. Die Natur löscht denjenigen aus, der keine Kinder mehr in die Welt setzen kann. Sie investiert nichts mehr in das Lebewesen, das, wie der Alte in der Ökonomie, nur noch von Rücklagen lebt. Die Schuldensumme des Körpers ist am Ende so groß, dass der Mensch stirbt. Schließlich die symbolische Schuld, in der beide Aspekte zusammenfallen. Wenn unser Leben nur Geld kostet und wir zu alt sind, um von der Natur am Leben erhalten zu werden, stellt sich die nahe liegende Frage, ob die Gesellschaft uns noch mit Prothesen und Operationen erhalten will. Übersetzt heißt das: Fragen der Euthanasie, aber auch des von Schuldgefühlen getriebenen Freitods sowie der Kosten von Leben und Tod werden ganze Kontinente in Atem halten.

Das soziale Altern

Es gibt ein biologisches Altern; und es gibt ein soziales Altern. In dem Augenblick, da die Natur zuschlägt – nach dem 40. Lebensjahr –, schlägt auch die Gesellschaft zu. Ihr kann es nicht schnell genug gehen; sie greift zwangsweise in den Lebenslauf ein und jagt den Menschen aus seiner freien Bahn heraus. Ins Tierreich übersetzt: Sie nimmt ihm den Status innerhalb der Gruppe, um ihn leichter vertreiben zu können.

Wie die Tiere in der Steppe werden die Älteren nach dem Verlust ihres Prestiges in einer umfassenden Jagd zur Erschöpfung getrieben. Das geschieht durch Altersstereotypen, Andeutungen, durch Angriff von allen Seiten. Die Attacke zielt auf das Selbstbewusstsein. Es liegt in der Natur dieser Jagd, dass der Mensch sich schon bald mit der Karikatur verwechselt, die über ihn im Umlauf ist. Ab Ende 40 bemerken viele in ihrem Arbeitsumfeld, dass ihr Ansehen sinkt, ab Anfang 50 reden sie sich bereits ein, den Tag des Renteneintritts nicht mehr erwarten zu können.

Während es für das Selbstbild der Jugend unzählige Schablonen gibt – nicht nur in der Werbung, auch im Film, in der Literatur, in der Geschichte –, ist der alternde Mensch von einem gewissen Zeitpunkt an buchstäblich ohne Vor-Bild. Es ist eine eigentümliche Leere um ihn, die er selten aufzufüllen wagt. Die Kleidung, die ein Großteil der älteren Menschen auch dann wählt, wenn er noch zehn Jahre zuvor modische Risiken eingegangen ist, hat für diese womöglich das Ziel, in die unauffällige Masse einzutreten, um von den Raubtieren nicht gesehen zu werden.

Das Jahrzehnt zwischen 50 und 60 ist jener Zeitraum, in dem, ähnlich wie zwischen 20 und 30, Lebenszeit und Lebenserfahrung in unvorstellbarem Ausmaß verschwendet werden. Man kann, etwa bei Männern in Führungspositionen, studieren, wie viel Energie in die unablässige Abwehr einer gefühlten Gefahr investiert wird. Sie wehren sich gegen einen Verdacht, der über ihnen hängt: eine nie ausgesprochene Beschuldigung, die suggeriert, der Mensch werde zu schwach, zu langsam, zu vergesslich für seine Arbeit.

Gerade die Eliten, die es nicht bis an die Spitze geschafft haben, werden von den rassistischen Altersstereotypen ins Herz getroffen werden. Die Unterstellung, dass ein Mensch mit 60, 65, 70 oder 75 Jahren nicht mehr in der Lage sein soll, intellektuelle oder körperliche Leistungen im Berufsalltag zu erbringen, gehört zu den schleichenden Rassismen der Gesellschaft.

Für die Betroffenen kommt die Erkenntnis, nur wegen ihres Alters aus der Gemeinschaft ausgestoßen zu werden, wie ein Schock. Er droht uns allen; irgendwann wird unser Ich über Nacht ausgetauscht werden. Das neue Selbst aber hat die Physiognomie eines Monsters; es ist: vergesslich, krank, schwach, egoistisch, phantasielos, langweilig, hässlich, müde, faul, verbrauchend, hartherzig, böse – alles Stereotypen, die seit langem über den alternden Menschen kursieren. Diese Vorurteile lösen in einem nie zum Stillstand kommenden Teufelskreis überhaupt erst die Selbsteinschätzungen, Handlungen und Minderwertigkeitskomplexe aus, die sie unterstellen; ein verborgener Mechanismus, der in dem Augenblick ausgelöst wird, in dem das fast zu Tode gehetzte Tier aus der Steppe in die Falle tappt.

Schlangenzunge oder Wie wir uns im Alter sehen und abbilden

Den Konstrukteur dieser Falle nenne ich Schlangenzunge. Irgendwann ist Schlangenzunge bei uns gelandet. Er legte seine Fallen überall aus; er vergiftete unsere Filme, Musik, unsere Werbung, unsere Witze, Gespräche, Grußkarten; es ist ihm gelungen, mit seinen Einflüsterungen unser Selbstbewusstsein zu versklaven und unsere Körper zu ruinieren. In John Tolkiens *Herr der Ringe*, einem Buch über vieles, aber vor allem über das Altern, ist es Schlangenzunge, der dem alten König der goldenen Halle einredet, schwach, dumm und gebrechlich zu sein. Bis Gandalf, selbst ein Uralter, kommt, den Bann bricht und den Intriganten vertreibt. »Nicht alles ist dunkel! Fasset Mut, denn bessere Hilfe werdet ihr nicht finden. Geht, die Zeit der Furchtsamkeit ist vorbei!« Und dann erhebt sich Theodén, der große König, von seinem Thron, tritt vor die Halle, sieht die unendlich weite Ebene seines Landes und atmet frei. Aus dem Greis wird ein aufrechter, starker und weiser Mann.

Jetzt haben wir Schlangenzunge also am Hals. Wir hören ihn in den Blättern der Illustrierten wispern, aber auch in der Straßenbahn und im Parlament, in Schwimmbädern und Galerien, in Arztpraxen und Büros. Seine Herrschaft ist so gewaltig, wie es unsere Unterwerfung ist. Er redet Alter zu Schwäche und Schwäche zu Unzurechnungsfähigkeit; und was immer er noch ist – konsumgeil, jugendbesessen, todespanisch –, er ist vor allem eines: ein teuflischer Verschwender. Er geht mit der menschlichen Lebenszeit verantwortungslos um; wie ein Konfettiregen prasselt auf uns nieder, was von den durchlöcherten Biographien übrig blieb.

Die Geschichte der Entwürdigung des Menschen durch Dämonisierung seines Alters ist ein Tolkien mit anderen Mitteln: eine Geschichte von Mythen, Erfindungen und Lügen. Sie funktioniert, wenn die Alten eine Minderheit sind. Viele Altersstereotypen in der industriellen Welt sind, wie wir sehen werden, nur deshalb erfolgreich, weil es immer Nachschub gibt: den nachwachsenden Rohstoff Kinder. Wachsen sich die Alten aus, werden sie gar zur Mehrheit, muss dieses ruinöse Programm zum Systemabsturz führen.

Schlangenzunge trat im Laufe der Jahrhunderte in vielerlei Verkleidung auf; aber sein Auftauchen an den Küsten des 20. Jahrhunderts können wir genau datieren. Natürlich hieß er nicht Schlangenzunge, sondern William Osler, der bis heute als bedeutendster und einflussreichster Mediziner der angelsächsischen Welt gilt. Damals, an einem kalten Februarmorgen des Jahres 1905, vollzog sich, was für alle erfolgreichen Mythen des 20. Jahrhunderts Grundvoraussetzung ist: die Verwandlung einer Ideologie in eine pseudowissenschaftliche »Wahrheit«.

Der 56-jährige Professor Osler hielt in Baltimore eine Rede, die sich als eine der folgenreichsten der Medizingeschichte entpuppen sollte und so etwas wie der Freibrief für die naturwissenschaftlich begründete Diskriminierung des Alters wurde. Er freute sich zunächst über die vielen jungen Leute an der Universität und warnte vor einer Welt, in der durch zu viele Alte geistige Stagnation eintreten würde. Dann verkündete er – im Bewusstsein seiner unerhörten medizinischen Autorität –, dass es für die Gesellschaft besser sei, wenn 60-Jährige gezwungen würden, sich vollständig vom beruflichen und politischen Leben zurückzuziehen. Schon 40-Jährige seien unbrauchbar, wenn man auf geistige Neuerungen setze. »Das mag manche schockieren, und dennoch, die Weltgeschichte, wenn man sie nur richtig liest, beweist diese Behauptung. Nehmen Sie die Summe der menschlichen Errungenschaften in der Politik, in der Wissenschaft, in der Kunst, in der Literatur – ziehen Sie die Werke der über 40-Jährigen ab, und wenn wir auch große Schätze entbehren müssten, ja sogar auf einzigartige Schätze verzichten müssten –, wir stünden doch da, wo wir heute stehen.«[58]

Osler war ein Katalysator, und noch eine der jüngsten Untersuchungen bescheinigt dieser unscheinbaren Winterrede, »eine bis in die 1970er Jahre anhaltende Welle der Altersdiskriminierung ausgelöst« zu haben.[59]

Tatsächlich sind unsere Auffassungen auch heute noch in weiten Teilen die Auffassungen Oslers. Es sind keine Urteile, wie man sie über andere gesellschaftliche Truppen trifft; es ist eine Inkompetenz-Unterstellung bei Menschen, bei denen ein anderes Maß, nämlich das des optimal funktionierenden falten- und sorgenfreien jungen Menschen, angelegt wird. Noch 90 Jahre nach Oslers Rede konnten Lewis Lapham und Robert Fulford eine Untersuchung veröffentlichen, die die altersgeleiteten Entscheidungen in einer Berufsvermittlung analysiert: »Jene, die über 40 Jahre alt waren, erhielten in dieser Untersuchung signifikant schlechtere Bewertungen als die unter 40-Jährigen. Wesentlich ist dabei, dass der negative Zusammenhang zwischen Alter und Güte der Beurteilung auch dann noch erhalten blieb, wenn die Unterschiede zwischen den Kandidaten in Ausbildungsniveau, einschlägiger Berufserfahrung und selbst in Testwerten der intellektuellen Leistungsfähigkeit statistisch kontrolliert worden waren.«[60]

In einer anderen Studie wurden Studenten der Betriebswirtschaftslehre aufgefordert, einen jüngeren und einen älteren Stellenbewerber zu beurteilen; mit dem Ergebnis, dass ohne einen anderen Grund als den des Lebensalters die Bewertung für den Älteren deutlich schlechter ausfiel.[61] Die Aussagen über ältere Frauen sind durchweg noch verheerender.

Die Wahrheit sieht radikal anders aus. Nur sehr wenige Studien belegen überhaupt, dass Altern im Arbeitsleben zur Verminderung der Leistungsfähigkeit führt; und wo dies geschieht, können die Erfahrungen des Älteren die mechanischen Mängel offenbar auch ausgleichen.[62]

Das Klischee, dass junge Leute noch viel lernen müssen, ehe sie mitreden können, ist ein erzieherisches Vorurteil. Das Vorurteil, dass ältere Leute viel verlernt haben, nicht mehr umlernen können und nicht mehr mitreden dürfen, ist ein Angriff auf die Menschenwürde.

Wir müssen uns von unserem eingefahrenen Denken lösen, um die Ungeheuerlichkeit dieses Verfahrens zu begreifen: Soziale und intellektuelle Diffamierung werden medizinisch, also quasi-naturwissenschaftlich begründet – eine Diagnose, gegen die kein Mensch eine Chance hat.

Die Dreiheit, das heißt die scheinbar objektive medizinische Diagnose über den sich verschleißenden Menschen, die Inkompetenzvermutung über seine intellektuellen Fähigkeiten und das soziale Urteil (der Alternde als Todesbote wird aus dem Arbeitsleben ausgestoßen), ist totalitär. Die Verurteilung des Menschen aufgrund von Äußerlichkeiten und unterstellten biologischen Besonderheiten, bei der es keine Berufung und keine Gnade gibt, hat es in der Geschichte nur einmal gegeben: bei der pseudowissenschaftlichen »Begründung« der Rassenlehre des 19. Jahrhunderts.

Damit soll nicht gesagt werden, dass es unter Alternden keinen Leistungsverlust und keine negativen Alterserscheinungen gibt. Doch steht die Schwere der Sanktionen in keinem Verhältnis zum durchschnittlichen Ausmaß des Konditionsabbaus – zumindest bis zum Alter von 80 Jahren.

95

Während wir alle Lebensentscheidungen des ersten Lebensviertels von Tests, Prüfungen und überprüfbaren Leistungen abhängig machen, fällen wir in der letzten Hälfte des Lebens existentielle Entscheidungen auf der Ebene von Vorurteil, Intuition und statistischer Durchschnittserwartung.

Die Perversion dieser Operation war den Zuhörern von Oslers Rede übrigens wohl bewusst. Man kann die ungeheure Wut, die sie auslöste, sogar als eine verzweifelte letzte Revolte gegen den Altersterror des 20. Jahrhunderts lesen. Der Sturm der Entrüstung reichte von Leserbriefen bis zum Einspruch mächtiger Senatoren, wochenlang wechselten sich Artikel, Reden, Kommentare ab – fast alle verdammten Osler als herzlos –, und es kursierten Listen, mit denen bewiesen werden sollte, dass auch alte Männer noch schöpferisch sein und arbeiten konnten.[63]

Die Kontroverse beweist, dass der Zwangsverbund von Alter und Ruhestand gar nicht als jene soziale Wohltat verstanden wurde, die er ja durchaus auch war, sondern als gewaltige Diskriminierung. Die berufliche und gesellschaftliche Abhalfterung des Alternden hatte natürlich Gründe, die im industriellen Bedarf an funktionierenden Menschen in den industriellen Arbeitswelten des 20. Jahrhunderts liegen. In ihr gibt es nicht nur einen Lebenszyklus von Produkten, sondern auch von Menschen. Bleiben die Menschen wider Erwarten gesund und fit, programmiert man die Schäden in ihre Seele ein – mit enormen Wirkungen auf das Selbstbild der Gesellschaft.

Hatte etwa das englische Wort für Ruhestand »to retire« in der ersten Hälfte des 19. Jahrhunderts noch »Rückzug von öffentlicher Aufmerksamkeit« bedeutet, so wurde es 80 Jahre später bereits als »nicht länger qualifiziert für den aktiven Dienst« verstanden. »Senilität« hieß einst nichts anderes als

»Alterserscheinung« und wurde später dann zu »Altersver-
schrobenheit«.[64]

Die Ideologie, einmal entfesselt, ging unendlich weit über die
bloße Zurichtung des Menschen für die empfindlichen Zahnräder und Fließbänder der Fabriken hinaus. Sie war effizient,
weil sich in ihr auf verhängnisvolle Weise eine angebliche
»wahre« medizinisch-naturwissenschaftliche Aussage mit
einer sozialen Auskunft verband.

Das schmutzige Wort

Wer älter wird, ist froh, wenn er sich zurückziehen kann. Ihm
geht die Gesellschaft auf die Nerven, und die ewig neuen An-
forderungen des Berufs auch. Wenn er trotzdem noch jeden
Morgen an seinen Schreibtisch geht, sich anbietet, Aufgaben
zu übernehmen, sich nützlich zu machen, dann nur deshalb,
um nicht verstoßen zu werden. Auch die Gesellschaft erwar-
tet übrigens diesen Rückzug. Wer älter ist, für den gibt es eine
wachsende Wahrscheinlichkeit, von einem auf den anderen
Tag zu sterben, was der Produktion schadet und den Arbeits-
frieden stört.

Diese Beobachtungen stammen aus den frühen 60er Jahren,
und sie bilden eine einflussreiche und sehr verhängnisvolle
Theorie des Alterns. In der »Disengagement«-Theorie wird
aus Schlangenzunges Einflüsterungen ein System, das den
Vorteil hat, die Gesellschaft und den Einzelnen zu entlasten
und dem Faulen zu gefallen. Bis heute fristet sie in den Köpfen der meisten Menschen ihr krudes, falsches Dasein – sie
entstand zu einem Zeitpunkt, als »Rückzug« in der modernen, immer lauter werdenden Welt in unterschiedlichen
Lebensaltern einen ganz neuen Sinn entfalten konnte, und be-

97

zog sich überdies auf eine Generation, die die Modernisierung der Welt einschließlich zweier Weltkriege wie keine andere mitgemacht hat; man hat denn auch festgestellt, dass der Wille zur Isolation, das Bedürfnis, alles hinzuschmeißen, selbst nur wieder Resultat des geraubten Selbstbewusstseins sind.

Wir sollten erkennen, dass Alterstheorien uns deshalb so wenig zu sagen haben, weil sie das Altern aus der Perspektive junger Gesellschaften deuten, in denen Altern eine Anomalie war und die Erfahrung einer Minorität. Sie sind ja vermutlich auch nicht an einer Theorie des TÜV interessiert, die Ihnen erklärt, warum Ihr verrostetes Auto nicht mehr für den Straßenverkehr tauglich ist, sondern Sie sind daran interessiert, möglichst schnell wieder mobil zu werden.

In Wahrheit spricht alles dafür, dass immer weniger Menschen sich in den sozialen Tod des »Ruhestands« verabschieden wollen. Stanley Kunitz, Jahrgang 1905, Pulitzerpreisträger und Experte in allen Fragen des Alters, hat »Ruhestand« zum »schmutzigen Wort« erklärt.

Es dauert offenbar immer eine Weile, bis die Unterdrückten merken, dass sie unterdrückt werden. Wir sollten erkennen, dass wir unter einer Knechtschaft von Vorurteilen leben, die von irgendwelchen Leuten über unser ganz persönliches Alter aufgestellt werden. Nachdem wir Jahre mit einem Ziel und einem wie auch immer verstandenen Sinn gelebt haben, werden wir in den Augen der anderen beliebig. Nichts, was wir taten, dachten oder waren, spielt eine Rolle angesichts des Alters. Der Wert unseres gelebten Lebens wird durch andere Informationen ausgelöscht: Falten, graue Haare und das Datum unserer Geburt. Die Knechtschaft unter diesem System wird unsere Gesellschaften schlichtweg zerstören. Wenn wir Schlangenzunge nicht zum Schweigen bringen, wird er uns zum Affen machen, wie den armen König Theodén.

Es mag im Interesse einer demographisch jungen Gesellschaft sein, den Alten das Selbstbewusstsein im Arbeitsprozess zu rauben. Für unsere Gesellschaft sind die Folgen katastrophal. Vergessen Sie einmal, wenn Sie ans Alter denken, das Rentenalter. Das ist ja nur die letzte sichtbare, dabei völlig willkürliche Grenze, die der älter werdende Mensch in unserer Gesellschaft überschreitet. Es ist der letzte Moment, wo er gesellschaftlich sichtbar ist; hinter der Frau oder dem Mann schließt sich der Schlagbaum, wir sehen ihnen noch eine Weile nach, bis sie kleiner und kleiner in der unendlichen Ebene werden und schließlich in ihr verschwinden.

Worum es uns in den nächsten Jahrzehnten geht, uns allen in China, Amerika, in Spanien, Deutschland oder Belgien, ist der Weg zu dieser Grenze, diese unglaubliche Prozession riesiger Geburtsjahrgänge, die den Weg zum Schlagbaum antritt.

In einer zusammenfassenden Arbeit stellen zwei Forscherinnen nach Durchsicht unzähliger Untersuchungen, Experimente und Erhebungen zum Älterwerden in der Arbeitswelt fest[65]: »Es lässt sich aus allen Studien ableiten, dass Altsein in der Arbeitswelt sehr früh beginnt (vor allem auf der Ebene der Führungskräfte) und dass dieser Zeitpunkt fast 20 Jahre früher angesetzt wird als der gesetzlich bestimmte Austritt aus der Erwerbstätigkeit.«

Im Sommer 2003 veröffentlichte die BBC die Ergebnisse einer Umfrage, wonach nicht nur die Generation von Elvis und den Beatles, sondern auch die »Nirwana«-Generation der 35-Jährigen sich als zu alt zurückgesetzt fühlen: »Mit 35 Jahren glauben viele Angestellte, dass sie die Karriereleiter zumindest ein paar Stufen emporgeklettert sind und den Respekt ihrer Vorgesetzten genießen; und sie glauben, dass sie ihre besten Arbeitsjahre noch vor sich haben. In Wahrheit haben sie sie hinter sich. Sie sind auf dem Abstieg.«[66]

Wer mehr solcher Beispiele sucht, findet im Internet aber-tausende Berichte über Klagen, Beschwerden, Krankheitsverläufe, Selbstmorde, deren Quelle Altersdiskriminierung ist – und zwar in einem Land, in dem es keine Zwangspensionierungen gibt. Die alternde Gesellschaft wird eine viel radikalere seelische Krise erleben, als die Demographie voraussagt, und manches spricht dafür, dass sie die Gesellschaft selbst radikalisieren wird. Der statistische Altersquotient beginnt mit 65; die Alterskatastrophe des Einzelnen aber oft schon mit 40 Jahren. Die amerikanische Medienindustrie ist nur ein Symptom; sie macht nur sichtbar, was sonst im Verborgenen, ja im Unbewussten geschieht. Die abschätzigen Blicke von außen, die sonderbaren Nebenbemerkungen, die ersten alarmierenden Reaktionen der Umwelt beginnen bei Frauen mit 40, bei Männern spätestens mit 45 Jahren. Diese bestürzenden Erfahrungen werden noch viel intensiver in einer Gesellschaft werden, die dem Jugendwahn huldigt und in der die Jugend zum kostbaren und raren Juwel geworden ist.

Die vielleicht schwerwiegendsten Folgen dieser vollkommen wahnhaften Struktur unserer Gesellschaft entfalten sich geradezu pathologisch in der Selbstwahrnehmung des Einzelnen.

Eine Studie der Sozialforscher J. Rodin und E. Langer hat bewiesen, dass die negative Besetzung und Stigmatisierung des Alters tatsächlich zu den negativen Stereotypen und Handlungen führt: Verlust des Selbstbewusstseins, Kontrollverlust, Reduzierung der Kreativität und Denkleistung.

Wie sich die Zellen im alternden Körper allmählich selbst zerstören, so scheinen die Moleküle unseres Selbstwertgefühls irreversibel Schaden zu nehmen, nicht durch Sauerstoff-Radikale, sondern durch die Radikalität einer Gesellschaft, die Platz schaffen will. Das Ich des Menschen wird geradezu überwältigt von der Fülle der seelischen Schäden, die repariert werden müssen, und viele der intellektuellen Absonderlichkeiten alternder Menschen haben hier ihren Grund.

Bedenken Sie: Wir reden hier von einer Fiktion, einer Erfindung, einer Unterstellung, die sich in nichts von der Arroganz unterscheidet, mit dem ein vorgeblich aufgeklärtes Europa einst von den »Wilden« sprach. Es treibt mich, es die unverschämteste Anmaßung zu nennen, die Menschen Menschen gegenüber zum Ausdruck bringen. Sie definieren eine Schönheit des Gesichts und eine Intensität des Intellekts, die keiner Nachprüfung standhält, sie definieren mit den scheinbar wahren Maßstäben einer objektiven Medizin den Menschen als körperliche Ruine, sie wecken Ängste über seine geistige Gesundheit, die auf Jahrzehnte des Lebens ihre Schatten werfen, auch wenn sie, wenn überhaupt, nur einen Bruchteil des gelebten Lebens betreffen.

Forscher, die in den letzten Jahren und Jahrzehnten untersucht haben, ob ältere Menschen schlechter, unkonzentrierter, ineffizienter oder unzuverlässiger arbeiten, fanden – zumindest was die unter 80-Jährigen betrifft – fast nie Anhaltspunkte für diese Behauptung, eine Behauptung, die unser soziales, wirtschaftliches und kulturelles Leben mehr bestimmt als alles andere. Denn nicht nur der gesellschaftliche, auch der ökonomische Schaden ist so groß, dass wir ihn uns in Zukunft nicht mehr werden leisten können.

Während ich dies schreibe, werden Statistiken bekannt, wonach in Amerika – dessen Alterungsdynamik wesentlich geringer ist als bei uns – und in Japan immer mehr Menschen jenseits des 70. Lebensjahrs arbeiten. »Es gibt einen einfachen Weg, das Problem des ›Altenbooms‹ zu lösen«, schreibt James Vaupel. »Verengen Sie die Definition des so genannten ›Älteren‹. Wenn schon heute die meisten 70-Jährigen so gesund sind, wie es einst die meisten 60-Jährigen waren, warum ermuntern wir die Menschen dann nicht, bis zum 70. Lebensjahr zu arbeiten? Und wenn demnächst 80-Jährige so gesund sein werden wie 70- oder gar 60-Jährige, warum erlauben wir ihnen dann nicht, bis zum 80. Lebensjahr zu arbeiten?«[67]

In der Tat: warum nicht? Weil wir immer noch in dem Terror unserer jugendgetriebenen Kultur leben. Wir erkennen: Zu wissen, wie und was Altern ist, wird zu einer Frage von enormer Definitionsmacht, denn die Lebenskonten des Menschen stehen in Frage. Diese Definition, das sagt einem der gesunde Menschenverstand, kann nicht normativ, per Gesetz, für alle Menschen festgelegt werden. Sie kann aber auch nicht aus einem »Zurück zur Kultur!« bezogen werden; der abendländische Kanon taugt nicht für die Umwertung, die unsere Aufgabe ist.

In Zeiten des vorrevolutionären Bebens sehnen Menschen sich nach Autoritäten. Manchmal werden solche Autoritäten negativ gestiftet: Fernsehen und Werbung eignen sich gut als Sündenböcke, und Sie werden niemanden finden, dem nicht auf Anhieb die Anzeigen in der *Vogue* oder die Trailer von MTV einfallen, wenn es um die Anstifter der Altersdiskriminierung geht.

Aber unsere abendländische Kultur ist mit dem Gegenstand des Alterns nicht viel besser umgegangen. Auch das lag sowohl an den biologischen Codierungen unserer Gesellschaft wie an der schlichten Tatsache, dass die Älteren stets in der Minderheit waren. Der Rückzug in einen abendländischen Traum vom Wahren, Schönen, Guten, da die Jungen das Alter geehrt und beide zusammen in Eintracht gelebt haben, ist uns jedenfalls versperrt.[68] Dieser Traum war nie Wirklichkeit.

Wir sind tatsächlich in einer singulären Lage, an einem derart einzigartigen Punkt unserer Entwicklung, dass das Studium der Vergangenheit uns eher verwirrt als orientiert. Nie haben Menschen vor uns die quantitative Übermacht der Alten über die Jungen so sehr gespürt; auch die traditionellen Gerontokratien – der berühmteste Fall ist Sparta – verankerten die Macht der Alten durch Politik und nicht durch die Macht der Zahl. Während ich dies schreibe, legen zwei Historiker eine kleine Untersuchung zu »Altersbildern in der Antike« vor, aus denen vor allem eines ersichtlich wird: Die Norm des würdigen und zu würdigenden Alters ist in der Antike ebenso widersprüchlich wie in der Gegenwart; jedenfalls berechtigt uns nichts dazu, anzunehmen, dass es jemals eine Gesellschaft gegeben hätte, die wirklich das Alter so ehrte, wie es uns unsere Großväter und Großmütter eingeredet haben.[69]

Ungefähr zu dem Zeitpunkt, als unsere Großeltern (oder Urgroßeltern) sozialisiert wurden, analysierte Italo Svevo den alternden Menschen. Svevos Helden sind tragikomisch Alternde, die in immer leerer werdenden Räumen leben und manchmal, sehr selten, das Alter als Form ganz neuer, fundamentaler Freiheit empfinden.

Svevos Texte sind vielfach gebrochen, ironisch, Symphonien mit unterschiedlichen Stimmen; aber hören Sie, was an einer Stelle seines Werkes ein morbider älterer Herr schreibt:

»Die alten Menschen hatten sich, als sie noch nicht so alt waren, mit großer Leichtigkeit und einigem Vergnügen in den Jungen fortgepflanzt. Ob sich das Leben beim Übergang von einem Organismus in den anderen weiterentwickelt oder verbessert hatte, war nur schwer festzustellen... Aber nach der Fortpflanzung konnte es geistigen Fortschritt geben, wenn die Verbindung zwischen alten und jungen Leuten vollkommen war und wenn eine gesunde Jugend sich auf ein vollkommen gesundes Alter stützen konnte. Zweck des Buches war also nachzuweisen, dass zum Wohl der Welt die Gesundheit des alten Menschen notwendig war. Dem alten Herrn zufolge hing die Zukunft der Welt, also die Kraft der Jugend, die diese Zukunft ja gestalten würde, vom Beistand und von der Belehrung der alten Menschen ab.«

Der alte Herr, um den es hier geht, ist derjenige, der einer jungen Prostituierten Beistand dadurch verschafft, dass er sie bezahlt, um sich zu verjüngen, und insofern ist das Werk, das er schreibt und von dem hier die Rede ist, das Werk eines Heuchlers.

Dann aber wird der alte Herr – es handelt sich um einen 60-Jährigen – immer stärker von seiner eigenen Theorie widerlegt, sein Zorn auf die Jugend wächst, je deutlicher wird, dass sein Werk, und das heißt: sein Leben, sich dem Ende zuneigt. »Der alte Herr wollte das Werk zu Ende bringen, indem er einen Zweifel nach dem anderen klärte, und er begann noch einmal zu untersuchen, was dem Alter vonseiten der Jugend zustehe… Er hüllte die alten und die neuen Seiten in das Laken, auf dem die Frage stand, auf die er keine Antwort wusste. Mühsam schrieb er dann unter diese mehrmals das Wort: Nichts.«[70]

Dieses unphilosophische Nichts, das am Ende der Aufzeichnungen Svevos steht, markiert den Anfang unserer neuen Geschichte. Nur Einzelne sind alt geworden. Die Gesellschaften konnten nicht erleben, wie es ist, wenn viele alt werden und zur Zoo-Gesellschaft werden. Und nicht, was geschieht, wenn viele alt werden und, wie im Zoo, wenige geboren werden. Diese verzweifelten, rührenden, heuchlerischen Psychogramme der 60-jährigen Helden Svevos – werden denn sie die seelische Signatur unserer Epoche? Woher dann unsere Gelassenheit? Woher diese Seelenruhe, die allenfalls bei Rente und Reise ein wenig aus der Fassung gerät?

Wir alle gewinnen Zeit und Raum, aber wir haben keine

Bilder und keine Texte. Unsere Kultur hat uns nicht vorbereitet. Wir können den Lebensweg ein ziemliches Stück weitergehen. Wir biegen um die nächste Hausecke, noch mitten in Verkehr und Lärm, und die Wüste, die sich dann plötzlich vor uns auftut, wird ungeheuerlich sein. Unsere Vorgänger haben nämlich in unseren Vorstellungswelten nichts gepflanzt und nichts gebaut und nichts gedacht oder geschrieben für ein Alter, das lange dauert und in dem wir alle alt sind. Keine Filme, Bücher, Gedichte, Lieder, Ideologien, Parteiprogramme. Es war nie nötig, weil nur wenige hier länger überleben konnten. Kaum jemand hat sich groß darum gekümmert. Hier ist nichts *verwirklicht*. Hier gab es keine Fortpflanzung. Und auch nicht das, womit wir uns kulturell fortpflanzen können, keine Arbeit, mit der wir Werke schaffen.

»Ich muss gestehen«, schreibt Hannah Arendt, »dass mir dieser Entlaubungs- oder Abholzungsprozess sehr nahe geht. Altwerden bedeutet die allmähliche (eher: plötzliche) Umwandlung einer Welt mit vertrauten Gesichtern in eine Art Wüste, die von fremden Gesichtern bewohnt wird.« Wir haben einen unvorstellbaren Vorrat an »jugendlicher« Kultur, an Geschichten, Romanen, Filmen, Gedichten, Opern, Bildern, in denen der junge Mann oder die junge Frau zum Helden der Geschichte wird, weil sich mit ihnen jeder identifizieren konnte: von Goethes *Werther* bis zum *Fänger im Roggen*, von Alexander bis Napoleon, von Sissy bis Lady Di.

Es gilt: Jeder Alte war einmal jung, aber nicht jeder Junge wird auch alt, wurde es auch in der Vergangenheit oft nicht: Deshalb lebt in uns allen das Hanno-Buddenbrook-Gen, die Melancholie des Letzten seiner Art, der jung stirbt. Hanno zog die berühmte Linie ins Familienstammbuch und sagte: Nach mir kommt nichts mehr. So haben auch wir Europäer gedacht: in der Phase all der Weltuntergangs- und Massenauslöschungsängste der letzten 30 Jahre. Aber die Vernichtung von außen – durch die Natur oder den Atomkrieg – ist sehr unwahrscheinlich.

Die müden Spätlinge taugen nicht zum Vorbild. Andere kennen wir aber kaum. Da die Mehrheit der Menschen in den bisherigen Gesellschaften gar nicht lange genug lebten, um die Auswirkungen des Alters zu erleben, können wir auf Vorbilder, auf alte Helden oder alte Heldinnen, die für unser Selbstbild doch so wichtig wären, kaum zurückgreifen.[71] Wir sind, was diese Vorbilder angeht, von den Eltern verlassen.

Wir müssen uns diesen Bestand selber schaffen. Becketts geriatrische Helden, Hesses Steppenwolf oder Gustav von Aschenbach reichen als Rollenbilder nicht aus. Denn das Neue unserer Situation wird sein, dass viele Alte sich viel jünger fühlen, als sie alt sind. Italo Svevos Helden gewinnen Selbstbewusstsein, indem sie ihre Lebensgeschichten aufschreiben. Biographien von 30- und 40-Jährigen, generationsgeprägte Lebensrückblicke aus jeder einzelnen Lebensdekade, werden den Übergang in die Altersgesellschaft markieren. Man muss nicht Prophet sein, um vorherzusagen, dass solche Selbstvergewisserungen eine beträchtliche Nachfrage haben werden. Hier könnte eine neue Blütezeit der Künste anbrechen, denn nirgendwo kann so gut erzählt werden wie in Literatur, Musik und bildender Kunst.

Aus der seriellen Produktion von Lebenserinnerungen und Selbsterzählungen wird aber, das sagt schon die Logik, von einem gewissen Zeitpunkt an ein großes synchrones Konzert entstehen. Denn die Älteren bleiben immer länger auf der Welt und teilen mit immer mehr Menschen die gleichen Erinnerungen, während die Jüngeren weniger werden und ihre nachlassende Kaufkraft immer weniger genuine Jugendkultur ermöglicht.

106

Das ökonomische Altern

Man kennt die grau-nebligen Fotografien der Welt von gestern, Fotos jener Gesellschaft, von der Stefan Zweig mitteilte, dass in ihr schon 30-jährige Männer versuchten, wie 60-Jährige zu wirken. Wir nennen die Stimmung, die heute vor 100 Jahren das Europa unserer Vorfahren umfing, *Fin de Siècle*, und man sagt jener Epoche eine unglückliche Liebe zu Krankheit und frühem Tod, zu Verfall und elegischen Grabmälern nach. In der Schule lehrt man uns die Stimmung jener Zeit mit Gedichten begreifen. Berühmt und sehr symptomatisch sind folgende Zeilen:

Ganz vergessener Völker Müdigkeiten
Kann ich nicht abtun von meinen Lidern,
Noch weghalten von der erschrockenen Seele
Stummes Niederfallen ferner Sterne.

Man könnte meinen, eine Welt, in der solche Gedichte geschrieben wurden, sollte ein Vorbild sein für Alter und Tod. Doch Hugo von Hofmannsthal, der die vorstehenden Zeilen schrieb und von sich sagte, dass er nur noch Spinnweben zähle, war zum Zeitpunkt der Niederschrift keine 20 Jahre alt. Die *Buddenbrooks* (erschienen 1901), die unsere Vorstellung von der Lebensbahn eines Einzelnen und der Lebensdauer ganzer Familien nachhaltiger geprägt haben als irgendein anderes Werk der Literatur, versammeln unzählige Autoritäten, Patriarchen, alte und würdige Herrschaften. Das

107

sind ihre Daten: Konsul Johann Buddenbrook, Hannos Großvater, stirbt mit 53 Jahren, Senator Thomas Buddenbrook,
sein Sohn, mit 49 Jahren. Einmal, in einem berühmten Kapi-
tel dieses Romans, liest er Schopenhauer und meditiert so in-
nig über Alter und Tod, dass er – er ist 48 Jahre alt – sein Tes-
tament macht. All diese Passagen, die noch das Altern der
gebildeten älteren Herrschaften des 21. Jahrhunderts bewegen,
hat Thomas Mann geschrieben, als er noch keine 25 Jahre alt
war. Unvorstellbar junge Leute haben 100 Jahre lang unsere
Vorstellung von Verfall und Alter geprägt.

Vor 100 Jahren erfanden Junge den Verfall als inspirieren-
des Element und prägten ganze Generationen. Heute ist es
genau umgekehrt: Alte vermarkten die Jugend. Sie schreiben
keine vollkommenen Gedichte mehr, sondern sie schaffen
vollkommene Gedichte aus Fleisch und Blut. Ihre Verse sind
keine Worte, sondern Schauspielerinnen, Schauspieler, Mo-
dels von außergewöhnlicher Schönheit. Niemals zuvor in
der Geschichte haben so viele Menschen die Bilder so vieler
schöner Menschen gesehen. Die westliche Welt hat Untermie-
ter, die in keiner Demographie und keinem Einwohnermelde-
amt auftauchen, obwohl man ihnen ständig begegnet. Sie
winken von den Plakatwänden an jeder Straßenecke und
schlagen in jeder Zeitschrift, deren Seiten wir umblättern, die
Augen auf. Werbung und Film organisieren unser Seelenleben.
Wir haben die Kraft oder auch nur die Lust verloren, symbolisch zu denken, und zwar deshalb, weil wir das Alter bis hin
zu Fragen des Vorruhestands nur als ökonomischen Faktor
begreifen. Dürers »Ritter, Tod und Teufel«, der das *Fin de
Siècle* inspirierte, reitet heute zwischen Krankenversicherung
und Rente.

Hätten wir Ältere nur einen Bruchteil des genialen Muts jener Jungen von einst, könnten wir, die wir als allererste Gene-

ration die Erfahrung des kollektiven Alterns machen, Altern nicht nur als Verlust, sondern auch als Gewinn sehen.

Heute empfinden wir Altern als Verschwendung, als Verbrauch von Ressourcen. Die Erfahrung des Ersten Weltkriegs hat die Träume vom philosophischen Altern und vom schönen Tod radikal beendet. Einfaches Dahin-Leben angesichts des Opfers so vieler junger Leben war suspekt. Sechs Jahre nach Ende des Ersten Weltkriegs veröffentlicht Thomas Mann ein anderes Buch übers Sterben. In der strikt privatwirtschaftlich organisierten Todesklinik des Hofrats Behrens im *Zauberberg*, wird ein Sterbender, der dringend Sauerstoff aus Flaschen benötigt, »alter Schlemmer« genannt. Damit ist – man schrieb das Jahr 1924 – Genuss und Dauer des Lebens an dessen Wirtschaftlichkeit gebunden: Der »Schlemmer« im *Zauberberg* hat offenbar vorgesorgt, er kann sich's leisten.

Wer nicht rechtzeitig abtreten will, ist ein Verschwender. Je stärker die Gesellschaft das Gefühl hat, dass der Alte für diese Ressourcen nicht in genügender Weise aufkommt, also für den Erwerb von Lebenszeit nicht genug zahlt, desto stärker wird der moralische, wirtschaftliche und schließlich juristische Druck – bis hin zu der berühmten und folgerichtigen Frage, wer für die letzte und teuerste Zeitspanne des Lebens eigentlich zahlen soll. Wo Altern nicht mehr im Interesse der Gesellschaft ist – und so ist es bei uns –, ist es auch die verlängerte Lebenserwartung nicht.

Der »Refund«-Kreislauf

Die englische Journalistin Victoria Cohen gehört zu denjenigen, die unter dem Eindruck der alternden Gesellschaft das ökonomische Verhalten der heutigen Rentner studiert hat. Sie ist einen Schritt weitergegangen, als man gewöhnlich geht. Dass ältere Leute kurz nach ihrem Ausscheiden aus dem Berufsleben leicht durcheinander sind und es eine Weile dauert, bis sie sich an die neuen Lebensverhältnisse angepasst haben, ist bekannt. Unzählige Reportagen schildern die »silver-generation« auf Reisen, im Gesangsverein oder in der Kirchengemeinde. Cohen, wie gesagt, ging den entscheidenden Schritt weiter und fragte, was angesichts der längeren Lebenserwartung ältere Leute tun, nachdem sie sich über Jahrzehnte an Ruhestand, Rente und – da es sich um England handelt – Bridge gewöhnt haben. Hilft ihnen, was viele von uns durchs Leben bringt, der pure Konsum? Und was kaufen die 75-Jährigen oder 85-Jährigen eigentlich ein? Fruchtentsafter und Münzen, wie wir allenfalls vermuten, oder doch Computerspiele und die neuesten DVD-Recorder?

Sie tun all das. Anders ausgedrückt: Sie kaufen das alles ein und nehmen es mit nach Hause. Aber das ist nur die eine Hälfte der Story. Zwei Tage später gehen sie wieder los und bringen alles wieder zurück. Dann beginnt das Spiel mit neuer Ware von neuem. Auch Homeshopping ist beliebt. Der Akt des Bestellens und das Eintreffen der Ware gehen reibungslos über in deren Wiederverpackung und Rücksendung.

Offenbar lieben es ältere Leute, Dinge wieder in die Läden zurückzubringen. Wie kommt es, fragt Victoria Cohen, dass man an den Umtauschschaltern bei Marks & Spencer immer nur 80-Jährige sieht? Weil es ihnen Spaß macht, die Waren zurückzubringen; weil es ihnen nicht um den Kauf, sondern um die Simulation des Warenverkehrs geht, aus dem sie ausgeschlossen sind. Der »Refund«-Kreislauf Geld-Ware-Geld bringt keinen Cent mehr oder weniger in die Kasse der Älteren, aber er kostet Zeit. Und genau diese Erfahrung gibt ihnen das Gefühl, am sozialen Leben teilzuhaben. Anders gesagt: Sie wollen auf irgendeine Weise am Wirtschaftsleben aktiv teilnehmen, und sei es nur, um soziale Erfahrungen zu sammeln. In Deutschland ist so gesehen das Dosenpfand ein guter Anfang. Es sollen, so berichtet die Journalistin, vor britischen Supermärkten 70-Jährige reich geworden sein, weil sie massenweise leere Pfandflaschen gesammelt haben.

Das Problem ist, dass die leeren Flaschen zwar von den emsigen Alten zurückgebracht werden, aber keine vollen mehr rausgehen. Irgendwann sammeln sich statt der Flaschen immer mehr alte Sammler vor den Supermärkten, deren unverhohlene Gier nach Leergut wiederum die Jungen abschreckt.

Das Dilemma besteht natürlich darin, dass die Alten nicht weniger, sondern mehr werden, das System zerstören und Urängste wecken, die seit Jahrzehnten vertrieben schienen. Nicht nur die umlagefinanzierte Rente, die nichts anderes ist als eine Pfandflasche, die uns von einem dieser älteren Herrschaften entrissen worden ist. Wir zahlen Pfand auf alles im Leben, kostenlose Umtauschgebühren gibt es nur bei Marks & Spencer. Die Natur achtet beispielsweise darauf, dass unsere Körper nicht alle Kalorien in Schönheit, Kraft und Sexualität investieren, sondern genug übrig bleibt, um unsere Kinder großzuziehen. Sie hat nicht damit gerechnet, dass ein Lebewesen nicht nur seine Nachkommen, sondern auch seine Vorgänger versorgen muss. Da jede Generation weniger Nachwuchs auf die Welt bringt als die nächste, werden die kommenden Jungen zum mathematisch unausweichlichen Ergebnis kommen, dass die unproduktiven Alten alles wegfressen und ihren eigenen Jungen noch nicht einmal die notwendigen Kalorien lassen, um sich zu vermehren.

Um eine Vorstellung des historischen Wandels zu bekommen, lohnt es sich auf das Jahrzehnt zurückzublicken, in dem die heute über 70-Jährigen geboren wurden, jene Generation also, die unsere eigene Vorstellung vom Alter prägt. Jeder kennt den Gassenhauer aus der Zeit, als unsere Groß- und Urgroßeltern jung waren. Robert Steidl hat ihn 1923 geschrieben, und die entscheidende Botschaft lautete: »Wir versaufen unser Oma ihr klein Häuschen und die erste und die zweite Hypothek.« Die Botschaft des Refrains liegt klar auf der Hand: Es ist der Höhepunkt der Inflation in Deutschland, die Lebensleistung der Alten ist in Zeiten der komplexen Kapitalentwertung gerade gut genug, um verschwendet zu werden. Wahrscheinlich war keine Generation prägender für die Geschichte des 20. Jahrhunderts als jene, die das damals sang. Es handelte sich grob gesprochen um die Geburtsjahrgänge 1883 bis 1903, die zwei Weltkriege und eine Inflation erlebten. Im Jahre 1925 waren freilich nur 5,8 Prozent der Bevölkerung des Deutschen Reichs älter als 65 Jahre und 36,2 Prozent jünger als 20 Jahre. Knapp 100 Jahre später, im Jahre 2020, werden knapp 26 Prozent der Deutschen über 65 Jahre alt sein, und die unter 20-Jährigen machen gerade noch 17 Prozent der Bevölkerung aus.[72] Die Zahlenverhältnisse haben sich dramatisch umgedreht, und auch der Refrain; die künftigen Großmütter und Großväter, die Mütter und Väter nehmen Hypotheken auf die Arbeitsleistung ihrer künftigen Kinder auf und kassieren das Pfand.

Keine Generation ist wichtiger für unser Selbstbewusstsein als jene, für deren wunderbare Jugend einst der Begriff »Teenager« erfunden wurde, kurzum alle, die zwischen dem Ende der 40er Jahre und dem Jahr 1970 geboren wurden, jene Babyboomer und Postbabyboomer, die, zumindest in Europa, keine Kriege und Katastrophen verschuldet, aber die Gesellschaft allein schon dadurch tiefgreifend verändert haben, dass sie sehr viele waren und einfach nur lebten, und zwar, wie wir jetzt wissen, in einem goldenen Zeitalter des Wachstums.

Diese Generation, zugedröhnt von den politischen Debatten um Rente, Krankenversicherung, Lebensarbeitszeit, Pflegeversicherung und Statistiken über die alternde Gesellschaft, haut das Häuschen ja keineswegs auf den Kopf. Sie hat vielmehr das Gefühl, dass das Versaufen schon in vollem Gange ist und die Betrunkenen es sich gerade im Vorgarten gemütlich machen. All die Renten-Kommissionen und Demographie-Ausschüsse haben die alternde Gesellschaft nicht als Gesamterscheinung, sondern, wenn überhaupt, rein rechnerisch erfasst, und auch das viel zu spät. Die Funktionäre der Blindheit gehörten bis vor kurzem einer Generation an, die aus Jahrgängen stammte, die nicht befürchten mussten, noch zu erleben, was sie verdrängten.

Aber wir. Und zwar buchstäblich durch Lebenszeitkonten. Auch wir können diesen Prozess verdrängen, und viele tun es. Man muss sich klar machen, was das in diesem Fall bedeutet: Es kann nur heißen, vorher zu sterben. Einen dritten Weg gibt es, nach aller menschlicher Voraussicht, nicht. Der Versuch, die auf dem Kopf stehende Alterspyramide im Laufe unserer Lebenszeit noch einmal auf die Füße zu stellen, kann nur heißen, auf Seuchen, Katastrophen oder Kriege zu warten. Wir erhoffen uns von der Zukunft aber genau das Gegenteil: medizinische Durchbrüche, Erfindungen, die das Leben verbessern, Frieden und Wohlstand. Jeder Einzelne dieser Urträume der Menschheit verlängert die Lebenserwartung, verkürzt sie nicht.

Das heißt: Wir werden erleben, worauf wir hoffen und was wir gleichzeitig fürchten. Ein Teil der Gesellschaft ahnt mit jedem Silvester, mit jedem Geburtstag, dass sie in eine neue Mehrheit der Alternden hineinwächst. Dadurch geraten wir in einen unaufhebbaren Konflikt mit der über Jahrtausende eingeübten Vorstellung von dem, was Leben, Altern und Sterben heißt.

Wir werden, sagen manche, zwar die Ressource Lebenssinn verlieren, aber wir werden die Macht behalten.[73] Warum sollten wir uns ängstigen? Wenn wir, die heute Jungen und Jüngeren, morgen die Alten sind, werden wir die Mehrheit sein. Wir wählen den, der uns gefällt und der uns zu Gefallen ist. Die Alten werden mit ihren Renten-, Erb- und Erfahrungskonten dann gegenüber den Jungen die ausbeutende Klasse sein: marxistisch gesprochen, als Herrschaft der aufgehäuften, vergangenen, vergegenständlichten Arbeit über die unmittelbare, lebendige Arbeit.

Den Umschlag datieren Wirtschaftswissenschaftler auf die 20er Jahre dieses Jahrhunderts, dann nämlich, wenn sich die Mehrheitsverhältnisse endgültig zugunsten der Alten verschoben haben. In einer Prognose heißt es: »Nach 2023 wird Deutschland von einem gerontokratischen System geprägt sein, in dem die Alten über die Jungen entscheiden. Nur die Angst, dass die Jungen auswandern könnten – und vielleicht eine gewisse altruistische Haltung gegenüber den eigenen Nachkommen –, werden die Alten davon abhalten können, die Jungen auszubeuten.«[74]

Lehnen wir uns einen Augenblick zurück und betrachten wir uns. Denn diese Ausführungen, denen sich Hunderte andere zur Seite stellen lassen, beschreiben unser künftiges Selbst. Es ist die Darstellung unseres Alterns als Naturkatastrophe. Die heute 20- bis 50-Jährigen werden nicht nur viele sein und alt sein und unproduktiv sein, sie werden nicht nur die Vorräte ihrer Kinder, sondern, so die implizite Behauptung, sie werden ihre Kinder vernichten.

Auch wenn es schwierig ist, sich von den Selbstbezichtigungsphantasien unserer Generation zu lösen: Das Bild vom fidelen Tanz der alten Vampire auf den Schädelstätten unserer Nachkommen ist falsch. Unsere Lage wird nämlich dadurch gekennzeichnet sein, dass wir zwar eine Mehrheit sind, dass wir aber ab einem gewissen Umschlagspunkt schwächer und hilfsbedürftiger werden. Nichts spricht dafür, dass die Welt, in der wir leben werden, so behaglich und sicher sein wird wie die versunkene Bundesrepublik der 60er und 70er Jahre. Eine einschlägige Studie geht ohne große Spekulation von enorm gewachsenen Abhängigkeiten der vielen Alten aus: »Zukünftig werden ältere Menschen aufgrund steigender Scheidungszahlen und verringerter Kinderzahlen weniger nahe Verwandte haben als die Alten von heute. Absehbar ist eine wachsende Zahl alter ›Singles‹ ohne unmittelbare Angehörige. Ihnen bleiben, wenn sie im Alter zu Pflegefällen werden, nur drei Möglichkeiten: das Heim, mobile Pflege- und Sozialdienste oder der Aufbau eines tragfähigen sozialen Netzes, das die Familie ersetzen kann.«[75]

Zum ersten Mal wird eine Mehrheit die Beleidigung und Schande des Alterns erleben. Wie wird sie damit umgehen? Was wird sein, wenn sehr viele – die Alten von morgen – sich von sehr wenigen – den Jungen – nicht mehr toleriert fühlen? Welche Ängste entstehen aufgrund der gewaltigen Jugendkohorten, die in islamisch geprägten Ländern entstehen? Und welche Befürchtungen existieren angesichts der Abhängigkeit von einer Jugend, die eine Minderheit ist, aber unsere Sicherheit, Gesundheit und Versorgung sichern soll?

Wir müssen Selbstverteidigungsstrategien entwickeln, Methoden alternativer Kriegsführung, die es einem erlauben, auch als schwacher Alter zu überleben: von der Partisanentätigkeit bis zum Hacker-Angriff.

Ihnen ist das zu übertrieben? Auch wenn Sie brav zu Hause bleiben und den Alten aus dem Kinderbuch spielen, werden andere Ihnen irgendwann einmal unterstellen, dass Sie das soziale System sabotieren. Ob Sie an der Einkaufskasse im Weg stehen, die Rentenformel durcheinander bringen oder sich im Internet mit anderen Älteren zusammenrotten, läuft aufs Gleiche hinaus. Für uns Heutige ist die Vorstellung merkwürdig, dass man älteren Menschen alle möglichen Gemeinheiten und Verbrechen unterstellt, von der Sabotage bis zur Kriminalität. Aber genau diese Unterstellung wird in Braintrusts und Expertenzirkeln längst als Wahrscheinlichkeit gehandelt.

Die Älteren der Zukunft stehen nicht mehr am Umtauschschalter von Marks & Spencer. Auch sie beteiligen sich an einem simulierten Kreislaufsystem, auch sie kaufen ein, tauschen um, kaufen ein, aber sie müssen dafür nicht mehr in Kaufhäuser und auch nicht vor die Supermärkte. Ihr Marktplatz ist das Internet, und sie werden es angesichts der ihnen geschenkten Zeit und ihrer Intelligenz bis zur absoluten Perfektion zu beherrschen wissen.

Heerscharen grauhaariger Programmierer werden in den Ruhestand ziehen, deren Hand nie so sehr zittern kann, als dass sie nicht ein paar witzige, störende Codes produzieren könnte, und die es drängt, sich an einer Gesellschaft zu rächen, die den alternden Menschen an den Rand drängt. Aber es sind nicht nur die Mitglieder der Neal-Stephenson-Generation, jenes Cyberpoeten, der den »snow crash«, den Kollaps unserer Gesellschaft, vorhersagt. Wir alle sind mit von der Partie. Die, die ab dem Jahre 2010 in immer stärker werdenden Schüben aufs Altenteil gestoßen werden, sind – historisch gesehen – Genies der Technologien und deren Anwendbarkeit. Sie haben den Rundfunk, die Musikindustrie, die Zeitungen und Zeitschriften, die Werbung, das Fernsehen, den Straßenverkehr revolutioniert; sie haben alles, was zu ihrer Zeit erfunden wurde, für ihre eigenen Zwecke eingespannt.

Die Cyber-Jugend

Mit uns beginnt nun die Phase des technologisch hoch alphabetisierten Alterns, und wie durch Zauberhand stoßen ausgerechnet wir, in der ersten Hälfte dieses Jahrhunderts, auf Technologien, die das Alter selbst revolutionieren werden. Computer, Internet und Handy sind die Analogien zu Schallplattenspieler, Massenverkehr und Fernsehen der 60er Jahre. Mit ihrer Hilfe wird es den alternden Babyboomern der Jahre 2010 bis 2050 gelingen, sich ein zweites Mal massiv in die Gesellschaft einzumischen. Nicht zufällig hatte das jugendverliebte Silicon-Valley Ende der 90er Jahre zum ersten Mal auf die gewaltige Ressource des Alterns zurückgegriffen.

Eine Industrie, die jedermann an jedem Ort mit jedem anderen vernetzen kann, fragt nicht nach Alter und Geschlecht. Der Journalist Gundolf S. Freyermuth berichtet, wie die Computerindustrie begonnen hat, die Zukunft der alternden Gesellschaft zu sichern. »Eine Flut von verwunderten Artikeln, wissenschaftlichen Untersuchungen und programmatischen Büchern analysiert inzwischen den Willen, bis ins hohe Alter aktiv am Erwerbsleben teilzunehmen. Unübersehbar ist dabei der zeitliche Zusammenhang des Wandels mit der dritten industriellen Revolution, die in den USA so weit fortgeschritten ist wie nirgendwo sonst. Er legt nahe, in der Digitalisierung einen, wenn nicht den Auslöser der plötzlichen Abkehr von sozialen Verhaltensweisen zu sehen, die sich – im Unterschied zu früheren Phasen der Menschheitsgeschichte – während der vergangenen rund 200 Jahre herausbildeten.«[76]

Diese technologischen Alten werden sich mit ihren Bankkonten, Chats, E-Mails und – womöglich – Wahlzetteln unablässig zu Wort melden. Bedenken Sie, wie viel freie Zeit den Älteren und sehr Alten zur Verfügung stehen wird und dass wir schon heute vorhersagen können, dass in unserer Zukunft immer mehr Ältere immer weniger Verwandte haben werden.[77] Familienersatz durchs Internet mit oder ohne Webcam ist nur eines der wahrscheinlichsten Szenarien. Die Älteren werden auch bis ins höchste Alter Märkte und Meinungen beeinflussen und verwandeln können.

Bekanntlich wird überall dort, wo sich überwiegend Ältere niederlassen, zuerst nach der ärztlichen Versorgung und dann nach der Sicherheit des Einzelnen gefragt. In Arizona, einer Art Sachsen der USA, ist es in den letzten Jahren aufgrund der verschobenen Alterspopulation zu ersten Wutausbrüchen gegen Ältere (und von Älteren gegenüber Jüngeren) gekommen; die Streitereien in der *community* entzündeten sich daran, dass die Älteren Politiker wählten, die stärkere Polizeipräsenz und Sicherheit versprachen und dafür Ausgaben für Bildung senken wollten. Überwachungssysteme und biometrische Apparate, Geräte, die Fingerabdrücke oder die DNA lesen – einst der Horror der George-Orwell-Generation –, werden so verbreitet sein wie heute Geldautomaten.

Was aber wird geschehen, wenn weltweit Millionen, ja Milliarden künftige Ältere, einige davon vergesslicher als andere, als User in die Netzwerke eindringen? Was, wenn sie in der global vernetzten Welt bis ins allerhöchste Alter mitmischen? Von ebay bis amazon, von Lebensversicherungen bis zu Kontobewegungen werden bereits jetzt im Internet echte Fakten geschaffen. All das, was in der »wirklichen Welt« die gebrechlichen, verwirrten oder sozial auffälligen Älteren davon abhält, Verträge zu schließen oder Waren zu kaufen, gilt für

118

uns nicht mehr. Wird sich die Welt vor uns, den künftigen Älteren, schützen wollen? Und wenn Kommunikation und Warenverkehr immer stärker vom weltweit vernetzten Computer abhängen, wie schützen sich Ältere dann umgekehrt vor der Welt?

Je schlechter man über Ältere denkt, desto gefährlicher werden sie. Sie verlieren Selbstbewusstsein, werden vergesslich oder aggressiv oder verstockt. Wer sich selbst immer nur als Karikatur porträtiert sieht, wird seine eigenen Gefühle karikieren. Dieser klare Fall von »self-fullfilling prophecy« wird im Internet aufgrund seiner nach beiden Seiten offenen Struktur besonders gefährlich. Bei Fernsehen, Film, Funk oder der Werbung wird das Publikum nicht eingreifen. Solche Passivität verbietet das Internet. Wer sich in den Cyberspace begibt, löst – anders als der Fernsehzuschauer – bereits durch seinen Eintritt in diese Welt irgendetwas aus. Er ist da. Er reagiert. Er kann angegriffen werden. Und er kann selber angreifen.

Die ungeheure Tragweite dieser Veränderung – die Alterung der hoch technologischen heutigen E-Mail-und-Internet-Generation *im* Cyberspace – zeigt sich in der Verbrechensentwicklung der letzten Jahre. Polizei und Bürgerwehren werden nicht auf die Wohnblocks und Siedlungen der »realen« Welt beschränkt bleiben.

Dass immer mehr ältere User das Internet besiedeln, wird auch dort zur Konstruktion zusätzlicher Sicherheitsschleusen führen. Wir befinden uns heute in einer Phase wie in den frühen 50er Jahren im Luftverkehr, als an den Flughäfen praktisch noch gar keine Sicherheitschecks stattfanden. Die wird es zu unser aller Lebzeiten immer stärker im Internet geben; je abhängiger wir von ihm werden, desto mehr. Auch hier geht die Gefahr weniger von den wirklichen Ausfallerscheinungen älterer User aus als von der Unterstellung, dass im Zweifelsfall

119

der Ältere eben nicht weiß, was er tut. Weil man im Cyberspace keinen Personalausweis vorzeigen kann, werden komplexe Systeme der Verhaltensforschung entwickelt. »Identitäts-Diebstahl« – das heißt der Diebstahl von Passwörtern, Kreditkartennummern, Anschriften – ist in den USA schon 2002 zu einem jener Verbrechen geworden, das vor allem ältere Computerbenutzer traf. Bei einer Kongressanhörung sagte Dennis Carlton, Lobbyist der biometrischen Industrie in Washington: »Biometrische Technologien sind Technologien, in denen mithilfe von automatisierten Computerprogrammen die charakteristischen Verhaltens- und Körpereigenschaften eines Menschen aufgezeigt werden. Sie dienen dazu festzustellen, ob der Mensch der ist, der er vorgibt zu sein. In anderen Worten: Wir benutzen Computer, um festzustellen, ob ein seelisches Verhalten oder ein menschliches Organ mit den Aufzeichnungen in unseren Datenbanken übereinstimmen. Die Forschung hat nachgewiesen, dass Art und Weise, wie wir reden, wie wir unterschreiben und sogar mit welcher Heftigkeit wir die Tastatur bedienen, einzigartig sind. Auf ähnliche Weise können wir die Charakteristika des Körpers mit unseren Datenbanken vergleichen: von den Fingerabdrücken über die Form Ihrer Hand, Ihrer Gesichtsform bis zur Iris und Retina des Auges.«[78]

Verhaltensforschung – als radikale Weiterentwicklung der Marktforschung – wird uns, je stärker wir mit dem Netzwerk verbunden werden, immer fester in den Blick nehmen und immer mehr individualisieren. Vergessen Sie Cookies, jene kleinen Signalposten, die heute schon ihrem Browser ihren Weg durchs Internet dokumentieren. Wir werden mit ganz anderen Beobachtungsformen zu tun haben.

Das renommierte »Massachusetts-Institut of Technology« (MIT) hat 1999 sein »AgeLab« gegründet, ein Labor, das gezielt Technologien für eine alternde Welt entwickelt.[79] »Die Idee«, sagte deren Direktor Joe Coughlin in einem Interview mit dem Hightechmagazin *Wired*, »lautet: Babyboomer forever young! Wir wollen unseren Lebensstil bis ins hohe Alter erhalten.« Das »AgeLab« hat große Forschungsprojekte zum alternden Gehirn begleitet, aber auch Alltagstechnologien erdacht. Ein »Pillpet« zum Beispiel, ein künstliches Haustier, das seinen Tod simuliert, wenn der Besitzer vergisst, seine Pillen einzunehmen, oder ein Handy, das Alzheimer-Patienten davon abhalten soll, einfach aufzulegen. »Der vergessliche Anrufer schreibt mit dem Handy, das auch als Stift funktioniert, ›John anrufen!‹ auf irgendeine Oberfläche. Während das Telefon wählt, werden diese Worte in seinem Display immer aufleuchten, um das unzuverlässige Kurzzeitgedächtnis aufzufrischen – das alles in fluoreszierendem Orange, das an den inneren Teenager im greisen Babyboomer appelliert. Ein Volkswagen – und natürlich war es ein VW-Käfer – wurde mit Technologien ausgerüstet, die das Auto sofort sicher bremsen, wenn Körperwerte des Fahrers, wie Blutdruck oder Temperatur, die Norm überschreiten.«[80]

Vor vielen Jahren, als es in Deutschland kaum mehr als drei Fernsehprogramme gab und das »WorldWideWeb« noch nicht existierte, haben Medienkritiker wie Neil Postman die Ausbreitung der Informationstechnologien in unsere Gesellschaft mit der Ausweitung des menschlichen Nervensystems in die übrige Welt verglichen. Wir hören und sehen und fühlen und denken immer mehr und immer vielfältiger, bis hinein in die entlegensten Nischen der Welt. Jetzt zeigt sich, wie zutreffend das Bild auch für unsere Zukunft ist. Jeder Einzelne von uns wird in den nächsten Jahrzehnten parallel zu seinem Älterwerden stärker und untrennbarer mit dem digitalen Nervensystem der übrigen Welt verbunden werden. Und um die

121

Regungen, Wünsche, Gefahren all dieser einzelnen Nervenenden zu verstehen, wird die Verhaltensforschung uns studieren wie Tiere im Zoo.

Sie wird dabei auf unsere intimsten Informationen zurückgreifen können. Denn wir werden nicht nur am Computer sitzen, wir werden selbst eine Datenmenge werden. Die heutigen Überwachungssysteme in amerikanischen Krankenhäusern und Altenheimen vermitteln uns eine Ahnung von der Art und Weise, wie unsere Körper vernetzt werden. Man wird Blutwerte, Blutdruck und vermutlich vieles andere am Körper über Datenleitungen in »real time« messen. Der Mensch selbst wird gar nicht unglücklich sein, seine Autonomie an ein kommunales oder kollektives System abzugeben, das seine Werte und – über Webcams und Bewegungsmatrixen – seine Bewegungen analysiert. Wir benutzen das Internet, Handys und tragen aller Wahrscheinlichkeit nach ein T-Shirt mit GPS-Sender und Bewegungsmesser. Wenn Sie stürzen (die häufigste Ursache, dass Ältere auf Nimmerwiedersehen ins Krankenhaus verschwinden), wird es eine Botschaft an Familie und den Notarzt senden. Ihr privatestes Dasein wird täglich in ein kollektives Bewusstsein eingespeist werden, eine Vernetzung, die Sie frei *und* abhängig macht und die Ihnen ermöglichen wird, weit über das 65. Lebensjahr hinaus zu arbeiten.

Die Vernetzung ist keine Einbahnstraße. Ältere werden von den Systemen nicht nur gelesen, sie können ihrerseits auf diese einwirken. Dadurch werden sie zu einem Faktor dauernder Beunruhigung. Mit Blick auf das zweite – das demographisch entscheidende – Jahrzehnt dieses Jahrhunderts befürchtet eine Expertenkommission der britischen Regierung enorme soziale Verwerfungen zwischen Alt und Jung. Aus ihnen könnte, so die Expertise, als neuer Typus der ältere Hightech-Kriminelle hervorgehen. »Unsere Sorge – auch wenn es für sie heute noch kaum Anzeichen gibt – ist, dass sich in der alternden Gesellschaft durch das Gefühl der sozialen Ausgrenzung eine neue Form der Kriminalität entwickelt«, schreiben die Autoren. »Je länger die Menschen leben – und je früher sie in Rente gehen –, desto stärker könnte das Gefühl werden, keine konstruktive Rolle in der Gesellschaft mehr zu spielen. Wie bei jeder anderen sozial benachteiligten Gruppe kann dies zu größerer Kriminalität führen. Der Anreiz könnte sich durch die Informationstechnologien erhöhen, durch die Kenntnisse und das Wissen um Institutionen und Märkte. In der elektronischen Welt sind körperliche Fähigkeiten kein limitierender Faktor«.[81]

Die Kosten unseres Sterbens

Hüten wir uns vor der Illusion, dass der große Bruch in der Mitte des Lebens auch künftig nur eine einfache Midlife-Crisis sein wird. Das war er während der letzten Jahrzehnte nur, solange die Menschen in ein sorgenfreies, letztlich luxuriöses Rentnerdasein abtauchen konnten. Der Bruch ab dem 40. oder 50. Lebensjahr, der die Menschen über Nacht zu Opfern von Altersdiskriminierung, Angst und dem Gefühl der eigenen Überflüssigkeit macht, könnte uns in naher Zukunft viel mehr zu schaffen machen, als wir glauben. Überall werden schon jetzt die Rechnungen darüber aufgemacht, wie viel eine Gesellschaft, deren Wohlstand schwindet, eigentlich ins menschliche Weiter-Leben investieren sollte, in das Leben ihrer Nachkommen – das sind die Embryos – und in das Leben der Älteren. Der Fachbegriff für solche Vorgänge lautet »Biopolitik«, und dieses Wort, das heute von Leuten benutzt wird, die sich mit embryonalen Stammzellen und der Entschlüsselung des genetischen Codes befassen, wird unser künftiges Leben begleiten. »Biopolitik« steht über der Eingangstür des 21. Jahrhunderts, und wir, die wir soeben erst die Tür durchschritten haben, werden erfahren, dass damit nicht nur der Anfang, sondern auch das Ende des Lebens, und das heißt nun einmal: unseres Lebens, gemeint ist.

»Der teuerste Tag Ihres Lebens ist der Tag, an dem Sie sterben werden.« Das sagte Anfang der 90er Jahre der amerikanische Gesundheitsminister: »Wir geben 14 Dollar unserer Gesundheitsfürsorgegelder für Ältere aus, aber nur einen Dollar für jedes Kind. An die 70 bis 90 Prozent werden auf die letzten Monate des Lebens verwendet.«[82]

Ein krebskranker Patient kostet in den Vereinigten Staaten in seinem letzten Lebensjahr etwa 30 000 Dollar. 33 Prozent davon werden im letzten Monat seines Lebens ausgegeben und 48 Prozent in den letzten beiden Monaten seines Lebens.[83]

Diese Relativität des Lebens wird unter Juristen längst diskutiert. Wenn wir alt sind, werden für uns die ökonomischen, moralischen und sozialen Faktoren undurchschaubar geworden sein, die das Leben als Kostenfaktor im moralischen – als Last für unsere Nachkommen – und im ökonomischen Sinn berechnen. Schon heute kursieren Schätzungen, dass ein vierzehntägiges früheres Abstellen der Apparate in der Intensivmedizin das gesamte Gesundheitssystem sanieren würde; auf zwei Tage des eigenen Lebens zu verzichten wäre, um das System zu retten, also ähnlich nützlich, wie zwei Urlaubstage zu streichen.

Für uns, die wir in die Welt dieser »Lebenskonten« hereinwachsen werden, bedeutet das, dass unser Lebenslauf einen zweiten Umschlagspunkt haben wird. Dann ist die Midlife-Crisis der Beginn einer auslaufenden Produktion. Jedes Leben wird dann den Punkt erreichen, wo es nicht mehr vom Geburtsdatum, sondern vom imaginären Sterbedatum definiert wird. Dann wird es nur noch darum gehen, welche Kosten die älter werdenden Massen durch ihre Existenz verursachen.

Parallel zu den Debatten über die Kosten der Gesundheit hat bereits eine über die Spareffekte des Sterbens eingesetzt. Vor einigen Jahren haben Wissenschaftler in einer vergleichenden Studie dargestellt, welche Kostenersparnisse die Euthanasie (»Physician-Assisted Suicide«) für das amerikanische Gesundheitswesen haben könnte.[84] Damals kamen die Autoren aufgrund der Erfahrungen in den Niederlanden zu

dem Schluss, dass die Kostenentlastung überschätzt würde –
wohlgemerkt auf der Basis einer »normalen« Demographie
des Jahres 1998. Unter den Belastungen des Jahres 2020 wäre
das Resümee womöglich ein ganz anderes.

Die Autoren aber hatten ihre Berechnungen deshalb veröffentlicht, weil sie schon durch die Kosten-Nutzen-Debatte des
Jahres 1998 zutiefst alarmiert waren:

»Obgleich die Summe, die durch die Legalisierung des ärztlich begleiteten Selbstmords gespart werden könnte, ver-
gleichsweise gering ist, befürchten wir, dass der Preiswettbe-
werb im Gesundheitswesen dazu führen könnte, diese Praxis
auszuweiten. Gegner der Euthanasie haben vor dem *Supreme
Court* betont: ›Es ist plausibel und vielleicht sogar wahrscheinlich, dass Gesundheitsmanager und deren Angestellte
unter den Zwängen des Budgets ihre sterbenden Patienten
dazu drängen, den ärztlich begleiteten Selbstmord zu wählen;
Patienten, die unter Depressionen leiden, würden den Selbstmord vorziehen, weil ihr Leiden wegen der ökonomischen Imperative ihrer Ärzte unbehandelt bliebe.‹«[85]

Der Tod fürs Vaterland

»In jede Berechnung, die der Wirklichkeit standhalten soll«,
schreibt ein Zeuge der Schrecken des vergangenen Jahrhunderts, »ist einzubeziehen, dass es nichts gibt, dessen der
Mensch nicht fähig ist.«[86] Damals wurde in einem 30-jährigen
Krieg zwischen 1914 und 1945 in all den Massenmorden
auch zweimal eine ganze Jugend getötet. Wir sollten den Jahren 2014 bis 2045 nicht allzu arglos entgegensehen, wenn wir
wissen, dass 2035 das »Maximum der demographischen
Krise unseres Landes« sein wird.[87] Was einst der Jugend ge-

schah, könnte nun den Alten widerfahren. Vor kurzem hat der Kulturhistoriker Wolfgang Schivelbusch die Frage gestellt, ob es nicht eine Pflicht zum Tode im Alter geben könne, wie einst der Tod fürs Vaterland für die Kriegsfreiwilligen des Jahres 1914. Wir – denn es kann sich ja nur um uns Heutige handeln – werden die Gesellschaft von der Last unseres Lebens dadurch befreien, dass wir freiwillig, womöglich noch blumenschwenkend, für Volk und Vaterland in den Tod ziehen. Die Linguistik hat, wie wir später sehen werden, Belege dafür gefunden, dass ältere Menschen, wenn sie mit jüngeren Menschen reden, den vermeintlichen Erwartungen der Jüngeren durch »Unteranpassung« begegnen, das heißt, sie erfüllen die negativen Stereotypen, die an sie herangetragen werden, indem sie beispielsweise langsam sprechen oder unablässig auf gesundheitliche Probleme und mentale Beeinträchtigungen verweisen, um so gewissermaßen von vornherein entschuldigt zu sein.[88] Es ist deshalb nur konsequent, wenn Schivelbusch in seinem Aufsatz den vorauseilenden Gehorsam einer sich überzählig fühlenden Altengesellschaft bis zu Ende denkt: »Da die Menschen ohne Lügen, Illusionen, Träume und Ideologien nicht leben und offenbar auch nicht willig und leicht sterben können, würde eine Pädagogik des Sterbens zwangsläufig auch Elemente der frommen oder der süßen Lüge enthalten, wie beispielsweise die der heroischen Selbstaufopferung zum Wohle des Ganzen. Hier wird die Sache natürlich kritisch, wenn nicht gefährlich. Denkbar ist, dass der Appell zum süßen und ehrenvollen Sterben einmal anstatt militärisch an die Jungen gerontologisch an die Alten gerichtet und – sofern genügend sozialer und moralischer Druck vorhanden ist – ähnlich konformistisch befolgt werden könnte wie 1914.«[89]

Tatsächlich werden wir in gespenstischer Wiederholung des letzten Jahrhunderts womöglich bald wieder in die unmittelbare Nähe jener kollektiven Todesfront gedrängt, der die Soldaten in den Schützengräben des Ersten Weltkriegs gegenüberstanden. Wo sehr viele alt sind, denken viele an den Tod. Wo sehr viele alt sind, rechnen viele mit der Plötzlichkeit des Todes. In seinen Anmerkungen *Zeitgemäßes über Krieg und Tod* schreibt Sigmund Freud 1915:

»Unser Unbewusstes ist gegen die Vorstellung des eigenen Todes ebenso unzugänglich, gegen den Fremden ebenso mordlustig, gegen die geliebte Person ebenso zwiespältig (ambivalent) wie der Mensch der Urzeit. Wie weit haben wir uns aber in der konventionell-kulturellen Einstellung gegen den Tod von diesem Urzustande entfernt! Es ist leicht zu sagen, wie der Krieg in diese Entzweiung eingreift. Er streift uns die späteren Kulturauflagerungen ab und lässt den Urmenschen in uns wieder zum Vorschein kommen. Er zwingt uns wieder, Helden zu sein, die an den eigenen Tod nicht glauben können; er bezeichnet uns die Fremden als Feinde, deren Tod man herbeiführen oder herbeiwünschen soll [...]. Wir erinnern uns des alten Spruchs: *Si vis pacem, para bellum.* Wenn du den Frieden erhalten willst, so rüste zum Kriege. Es wäre zeitgemäß, ihn abzuändern: *Si vis vitam, para mortem.* Wenn du das Leben aushalten willst, richte dich auf den Tod ein.«[90]

Das ist unser Krieg. Die Menschen, die in den nächsten Jahrzehnten das 40. Lebensjahr hinter sich lassen, müssen das Altern noch einmal ganz von vorne lernen. Wir müssen vergessen, was wir heute gewohnt sind, mit Alten und Alter zu verbinden. Orientieren Sie sich nicht an den älteren Herrschaften in Cafés und auf Kreuzfahrtschiffen! Das wäre ähnlich absurd, als hätte sich der hundertjährige Ernst Jünger im Jahre 1995 mit Ratschlägen seiner Großmutter aus dem Jahre 1898 versorgt.

Die beiden großen Kriege des 20. Jahrhunderts waren Konflikte des Raumes. Jetzt handelt es sich um Konflikte der Zeit. Man kann es sich so vorstellen: Man hat einen Gast, der nicht geht. Er bleibt, obwohl sein Weggang überfällig wäre. Man stolpert über ihn, er steht im Wege, er taucht auf wie ein aufdringlicher Zeitfresser. Er weiß, dass er stört.

Wann wäre es für uns eigentlich Zeit zu gehen? Wann wäre es höflich, aufzustehen und den Raum zu verlassen? Anders ausgedrückt: Ist der vorzeitige Tod, wie in der Definition der meisten westlichen Länder, der Tod vor dem 65. Lebensjahr? Wie verhält sich die Grenzziehung zu unserer verlängerten Lebenserwartung? Was bedeutet es für die Mediziner, wenn der Tod noch früher als vorzeitig ist? Und vor allem: Was ist der rechtzeitige Tod?

Das sind Fragen, die uns nicht erst in den nächsten Jahrzehnten gestellt werden. Man kann sie noch eine Weile theoretisch debattieren. Doch aktuelle Entwicklungen – beispielsweise von unterbliebenen Operationen und rationierten Medikamenten bei älteren Patienten in Großbritannien[91] – sollten Ihnen klar machen, dass die Frage nach dem Image des Alterns in unserer Gesellschaft über Ihr Leben und Ihren Tod entscheiden wird.

Als der Rostocker Max-Planck-Direktor James Vaupel seine Vorhersagen über die verlängerte Lebenserwartung unserer Generation ausgerechnet unter dem Titel *Zerbrochene Grenzen* publizierte, mag ihm der Titel eines anderen Buchs im Kopf gewesen sein. Es stammt von Daniel Callahan, erschien bereits Ende der 80er Jahre und heißt: *Grenzen setzen. Medizinische Ziele in einer alternden Gesellschaft.* Die Grenzen, die Callahan setzt, sind ausnahmslos Grenzen der Zeit, und er begründet seine harten Thesen nicht nur ethisch und kulturgeschichtlich, sondern natürlich mit der Unfinanzierbarkeit des Alterns in der alternden Gesellschaft. Wann ist der

Tod vorzeitig? Callahan schlägt eine Definition vor, die zum Teil biologisch – der Körper wird nicht mehr repariert – und zum Teil kulturell ist. »Es ist ein Tod«, schreibt er, »der sich ereignet, bevor ein Mensch die Möglichkeit hatte, all das zu erleben, was man typisch für den Menschen nennen könnte: zu arbeiten, zu lernen, zu lieben und seine Kinder aufwachsen und als unabhängige Erwachsene zu erleben. Im Ganzen glaube ich (und ich spreche als jemand, der 69 Jahre alt ist), dass eine Lebensspanne von 65 Jahren ausreichend ist, um diese Ziele zu erreichen, auch wenn viele von uns gerne länger leben würden.«[92]

Man erinnert sich, wie in Deutschland über die Frage debattiert wurde, ob es Sinn macht, einem 85-Jährigen eine künstliche Hüfte einzubauen. Oder Todkranke zu therapieren. Oder sie einst am Leben zu erhalten. Oder noch viel banaler: ihnen im Alter die Zähne zu sanieren. Ein junger Politiker hatte diese Provokation lanciert, und obwohl alle empört waren, wirkte diese Empörung merkwürdig routiniert.

Nein, es sind nicht die Fragen eines jungen Politikers, die wir zu beantworten haben. Hier sprach der Darwinismus, unser Erklärungsmodell für die biologische Welt. Von den großen drei der letzten 150 Jahre – Darwin, Marx und Freud – ist vermutlich nur Darwin als großer, überlebensgroßer Sieger übrig geblieben. Wir werden seine Theorie so wenig los, wie wir die Theorien vom freien Markt, von Angebot und Nachfrage loswerden wollen und loswerden können. Oswald Spengler hat in einer polemischen, aber nicht unzutreffenden Diagnose festgestellt, Darwins Theorien liefen im Kern darauf hinaus, wirtschaftliche Prinzipien in die Biologie zu übertragen. Längst ist unser Verständnis von Biologie verschmolzen mit unserem Verständnis unserer Ökonomie. Längst sehen wir unseren Körper als Maschine. »Im Zeitalter der Maschinen«, schreibt Darwins Biograph Geoffrey West, »entwarf er ein mechanistisches Bild von organischem Leben. Er zog Parallelen zwischen dem menschlichen Daseinskampf und einem natürlichen Kampf. In einer habgierigen Erbadelsgesellschaft erklärte er Habgier und Erbe zu den primären Überlebenstugenden.«[93] Deshalb redet bei den Fragen unserer Reparierbarkeit im Alter nicht ein junger Politiker oder ein 69-jähriger Ethiker aus den USA. Es ist das Kreuzverhör der Natur selbst, das wir hören und das uns in den nächsten Jahrzehnten wie ein ewiges Schuld- und Anklagegefühl in den Ohren dröhnen wird.

Wir werden im neuen Jahrhundert von zwei Seiten bedrängt: den Zwängen Ihres alternden Körperhaushalts und den ökonomischen Zwängen einer alternden Gesellschaft. Beim Älterwerden trifft der Körper die Entscheidung, ob eine Reparatur sich bei Ihnen noch lohnt, immer öfter zu Ihren Ungunsten. Aber auch die Gesellschaft wird die Kosten-Nutzen-Rechnung aufmachen und zwar – leider – genau an dem Punkt, wo Sie sich aus den nicht mehr heilenden Händen der Natur in diejenigen der Gesellschaft begeben wollen, mit 70 oder 80 Jahren.

Sprechen wir endlich aus, wer diese ominöse »Gesellschaft« sein wird. Es sind die Jungen. Es sind die Stärkeren. Es sind die mit einer »2« vor dem Geburtsjahrgang. Sie sind weniger als wir, aber viel kräftiger. Sie tragen unser Erbgut, und manche spekulieren sicher auch auf unser Erbe. Die Babyboomer, die dann die Alten sein werden, haben einst ihre kapitalistischen Eltern mit Marx und Freud aus der Fassung gebracht. Die Jugend von morgen wird den Darwinismus entdecken.

Das geistige Altern

Unsere Gesellschaften kennen keine Übergänge mehr zwischen Jung und Alt, gesund und krank, naiv und weise. Das Leben ist wie bei der Produktion einer Ware in drei Teile – Jugend, Beruf, Alter – getrennt. Keiner hat mit dem anderen zu tun.

Deshalb züchten unsere Gesellschaften in uns das Gefühl, wir würden im Laufe unseres Lebens ausgetauscht werden. Wie Aliens, die sich der Körper der Menschen bemächtigen, steckt plötzlich im Menschen ein anderer Mensch: launisch, phantasielos, gierig, müde, krank – die Forschung hat ganze Horrorkataloge dieser Zuschreibungen aufgelistet.

Wenn Sie älter werden, so liest man in der einschlägigen Literatur, müssen Sie wachsende Gehirn-Kapazitäten in Ihre fünf Sinne investieren. Sie müssen ausgleichen, dass Sie schlechter sehen und hören. Dadurch wirken Ältere auf Jüngere oft so betulich, umständlich und langsam.[94]

Die Babyboomer haben die Gesellschaft durch ihre Hormone mehrfach verändert. In ihrer Pubertät, in ihrer Midlife-Crisis und jetzt bald wieder. Diesmal sind es nicht die Hormone, sondern die Gehirnströme. Sie werden sich buchstäblich verändern, und es ist kein Zufall, dass die Gehirnforschung zur Ersatzphilosophie dieses Jahrzehnts wird. Von Wolf Singer bis Gerhard Roth melden sich die Entdeckungsreisenden des menschlichen Denkapparats in der Öffentlichkeit zu Wort.

Klar, dass mit einer wachsenden Zahl von Älteren und in einer Gesellschaft, die Altern als schlimm empfindet, die »letzten Fragen« eine ganz neue Macht entfalten: Woher kommen wir? Wohin gehen wir? Und warum? Nachdenken über den Sinn des Lebens ist mit 25 ein geistiger Luxus. Für eine Gesellschaft, deren Mehrheit über 50 Jahre alt ist und die deshalb nur noch eine subjektive Lebensperspektive von 30 Jahren hat, wird aus dem Luxusgut ein Grundnahrungsmittel. Denn für viele dieser vielen wird ihr verbleibendes Leben tief gefärbt sein von menschlichen Urängsten und Urerfahrungen wie Schmerz, Krankheit, Einsamkeit, Hinfälligkeit, Demenz und Tod.

Der alternde Mensch wird zweimal zerstört: einmal durch die Vorurteile und Klischees, die über sein Altern im Umlauf sind und die ihn aus der Gesellschaft ausstoßen und nur noch als Mitglied der biologischen Spezies definieren; dann tatsächlich *in corpore* durch den Jahre nach dieser Diffamierung einsetzenden Alterungsprozess, der mit dem Tode endet. Im 21. Jahrhundert, so hat der italienische Philosoph Giorgio Agamben notiert, wird das nackte Leben unmittelbar zur Politik.[95]

Altern wird Politik werden. Das Altern wird Information für demoskopische Erhebungen, Wahlprogramme, Markteinführungen sein. Es wird unzählige verschiedene Arten von Älteren geben. Schon vor Jahren unterschieden Marketingexperten zwischen jungen Alten, mittleren Alten, neuen Alten und sehr Alten.[96]

Die neue Biologie des Alterns

Kurz vor Weihnachten des Jahres 2000 beobachtete ein typischer Vertreter der Babyboomer-Generation den Nachthimmel über Amerika. Stephen S. Hall, Autor der *New York Times* und einer der angesehensten Wissenschaftsjournalisten des Landes, führte ein Selbstgespräch unter Sternen, und das ging so: »Ich näherte mich meinem 50. Geburtstag. Ich hatte Wünsche, falsche altruistische Wünsche, wie die meisten Wünsche meiner Generation. Was ich in jener Stunde sagen wollte, war: Laß uns *alle* lange, lange leben, wir sind noch nicht bereit zu… zu… Ich konnte mich nicht dazu durchringen, das Wort auszusprechen, noch nicht einmal in diesem Selbstgespräch. Ich war bereit, das uralte Ritual zu wiederholen und im Angesicht des nächtlichen Himmels eine Petition an die gleichgültigen Götter zu senden. In der gleichen Weise habe ich heute das Gefühl, dass eine ganze Generation – eine Generation, die nichts von der Sterblichkeit versteht – gezwungen ist, die gleiche Petition als eine Art Verbraucher-Gemeinschaftsklage an die Natur zu richten. Ich spreche im Namen der Babyboomer, jener – allein in den USA – 75 Millionen Menschen umfassenden Generation, und ich spreche im Namen all unserer Geschwister überall in der entwickelten Welt. Dies ist eine Generation, die ihre Petitionen für etwas ganz Besonderes hält, eine Generation, die vielleicht etwas stärker als andere darauf besteht, dass ihre Gebete erhört werden.«[97]

Man kann von der neuen Wissenschaft des Alterns nicht reden, ohne von den Gebeten dieser Generation zu reden. Nur so sind die Paradoxien zu verstehen, mit denen wir täglich zu tun haben: Altern ist, in den Augen der Gesellschaft, teuer und unproduktiv, aber wir tun alles, um noch länger zu altern. Altern ist das künftige Problem der ganzen Welt. Längere Lebenserwartung verschärft das Problem. Und wir lesen, wie Wissenschaftler täglich von neuen Erfolgen bei der Lebensverlängerung, das heißt bei der Ausdehnung der Lebensspanne, berichten. Bakterien, Fliegen, Würmer, überall schießen die Methusaleme wie die Pilze aus dem Boden. Das berühmte *daf-2*-Gen kann, wenn es manipuliert wird, die Lebensdauer kleiner Würmer um das Sechsfache erhöhen. Nicht die Lebenserwartung, sondern die Lebensspanne selbst kann bereits jetzt bei Mäusen reguliert werden.[98] Theoretisch, sagen die Wissenschaftler, theoretisch kann jetzt der Mensch 700 Jahre alt werden.

Wir alle neigen dazu, Theorien nach ihrem politischen Gehalt zu beurteilen. Jeder von uns könnte sagen, was der Marxismus ist und was die Studenten von 1968 mit ihm anstellen wollten, wir wissen, was ATTAC und die Anti-Globalisierungsbewegung antreibt. Theorien solcher Art haben die meisten Menschen in den letzten Jahren nicht mehr sehr interessiert. Man wusste, dass alle Theorie grau und die Tatsachen stärker sind als die Welterlösungskonzepte der Philosophen. Das wussten vor allem jene Leute, die den harten Kern der Babyboomer-Generation bilden, nämlich jene, die in den 60er und 70er Jahren politisierten, protestierten und theoretisierten und uns Jüngeren ziemlich auf die Nerven gingen. In einem seinerzeit sehr berühmten, Anfang der 70er Jahre produzierten Film, erzählt der einstige Übervater der politisierten Achtundsechziger, der Philosoph Jean-Paul Sartre, von einer Art Forschungsfahrt seines kommunistischen Erzfreundes Paul Nizan: »Er ist nach Russland gefahren, weil er herausfinden wollte, ob die Leute jetzt nach der Revolution keine Angst mehr vor dem Tod hätten, ob der Tod für sie etwas Zweitrangiges geworden wäre, weil, so dachte er, ein Mensch, der jetzt innerhalb der Masse etwas tut und weiß, dass das allen nützt und dass andere nach ihm dasselbe tun werden, sich selbst als einen Teil der Masse empfindet, die ihn fortsetzen wird; also, dachte er, muss er nicht mehr in derselben Weise an den Tod denken.« Die Expedition jedoch fiel enttäuschend aus. »Nein«, habe er nach der Rückkehr zu Sartre gesagt, »in diesem Punkt, nein, da ist nichts zu machen, da haben sie sich nicht verändert.«

Wir haben übersehen, dass sich einige der Boomer nicht auf

den Marxismus, sondern auf die Biologie verlegten. Sind die Tatsachen auch stärker als der Lebenswille des Menschen? Und zerbröseln nicht gerade die harten Tatsachen zu Staub, wenn es ums nackte Überleben geht? Und werden sie nicht geradezu zerschmettert, wenn es eine überzeugende Theorie fürs ewige Leben gibt?

Mitte der 40er Jahre ist diese Theorie ausgehend von den Forschungen bei Erbkrankheiten entstanden und immer weiterentwickelt worden, ohne dass es die große Mehrheit sehr interessierte. Die große Mehrheit, ließe sich sagen, war zu dem Zeitpunkt auch erst 20 oder 30 und nicht wie heute 50 oder 60 Jahre alt. Dass Altern etwas sein könnte, das man aufhalten, verzögern oder abschaffen kann, ist ein Gedanke, der noch vor 50 Jahren unter seriösen Forschern für kühn und unseriös gehalten worden wäre. Mittlerweile hält man Forscher, die behaupten, das Altern zumindest verzögern zu können, nicht mehr für verrückt. Es fließen Milliarden in die Erforschung genau dieser Frage. »Bis vor ungefähr 15 Jahren«, schreibt David Gems alarmiert von der immer größer werdenden Fülle entsprechender Forschungsanträge, »galt Forschung über die Gründe des Alterns als eine ziemlich zwielichtige Angelegenheit, die sich an den Rändern der Biologie abspielte. Was alles veränderte, war die Entwicklung einer Theorie. Die Theorie über die Evolution des Alters hatte wirklich etwas erklärt, und sie besitzt eine große, gedankliche Schönheit.«[99]

Es *war* verrückt, sich im 20. Jahrhundert mit der Frage des ewigen Lebens oder des Aufschubs des Alterns zu beschäftigen. Es *ist* im 21. Jahrhundert *nicht* mehr verrückt, sich wissenschaftlich mit der Frage des ewigen Lebens oder dem unendlichen Aufschub des Alterns zu beschäftigen. Diese zwei Sätze bezeichnen den Übergang in die Welt, in der wir leben werden.

Im Jahre 2001 machte sich jener einsame Babyboomer, der unter den Sternen seine Petition formulierte, auf den Weg, die Unsterblichkeit zu suchen. Was als Recherche begann, wurde eine »Pilgerreise«. Drei Jahre lang besuchte Stephen S. Hall jeden anerkannten Wissenschaftler, der sich mit dem Alter und der Verzögerung der Alterung befasste, er inspizierte Laboratorien und beobachtete Experimente, er debattierte mit der amerikanischen Regierung über Stammzellenforschung und stritt mit Theologen und Philosophen.[100] Hall, Jahrgang 1951, fand heraus, dass unter all seinen Gesprächspartnern es vor allem die Babyboomer sind, die am heftigsten und lautesten, wenn nicht nach dem ewigen Leben, so doch nach Tricks suchen, das Altern zu verzögern.

Nein, diese Generation gibt nicht auf. Vielleicht wird sie im alten Europa bald müde, aber in den USA wird sie noch Jahrzehnte versuchen, in den Wissenschaften die Revolution auszulösen, die ihr in der Gesellschaft misslang. Eine unzulässige Übertreibung des Wunschdenkens einer ganzen Generation? Nein, es scheint eher so, als ob diese Generation eben erst ein zweites Mal erwacht ist, nachdem sie sich über Jahrzehnte Familie, Beruf, Scheidung und schließlich der New Economy gewidmet hatte. Sie reibt sich die Augen, sitzt im Gras und scheint jetzt erst zu kapieren, dass sie älter und alt wird. Hall, der Protagonist einer alchemistischen Sehnsucht des 21. Jahrhunderts, beschreibt sich, wie er aufbricht, unter einem funkelnden Nachthimmel: »Als ein Amateur des Alterns wusste ich, dass meine Garantie auszulaufen begann. In streng evolutionären Begriffen gedacht, hatte ich gerade die biologische Nützlichkeit überschritten, die ich für meine Spezies haben könnte. Ich wusste, dass meine eingebauten genetischen Schutzschalter bald nicht mehr funktionieren würden. Die natürliche Auslese interessiert sich nicht mehr für uns, wenn wir erst einmal lange genug gelebt haben, um uns fort-zupflanzen. Die Evolution ist wie ein sonderbares Schiff: Sie fährt ewig durch dunkle Gewässer, um die Art am Leben zu erhalten, auch wenn sie irgendwann jedes einzelne Mitglied dieser Art über Bord wirft.«[101]

Altern heißt: Irgendeine Instanz im Körper hat entschieden, die wesentlichen Reparaturvorgänge einzustellen. Warum? Weil sich die Reparatur nicht mehr lohnt. Deshalb altern Zellen und sterben. Der alternde Mensch erlebt also in seinem Körper das, was er auch in der Gesellschaft erlebt: Er kostet zu viel und wird allmählich immer tiefer in einen biologischen Schuldensumpf hineingezogen. Vom umschwärmten Gast in der ersten Klasse, für den alles getan wird, entwickelt man sich allmählich zum blinden Passagier, der am Ende, auch wenn er sich noch so sehr bemüht, nicht aufzufallen, über Bord geworfen wird.

Das Gefühl, eine Schuld bezahlen oder für etwas büßen zu müssen, ist bei vielen Älteren vorhanden und ohne Zweifel so etwas wie die biologische Grundlage unserer Religionen. Altern ist Sterblichkeit, und das Wissen um die eigene Sterb-lichkeit ist Strafe. Die Natur ist streng, wie Gottvater, der das Urelternpaar Adam und Eva einst aus dem Paradies vertrieb und damit sterblich machte. Sie duldet kein Altern, und wo sie es zulässt, geschieht es höchst widerwillig. Alte Tiere in freier Wildbahn gibt es praktisch nicht, sie werden vorher gefressen, erkranken oder sterben bei Unfällen. Nur Tiere, die wir aus ihrer natürlichen Umgebung in geschützte Zonen verpflanzen, altern, und sie altern, wie es der Mensch tut. In jedem Zoo kann man die grau gewordenen Bären betrachten, Pferde mit Hüftgelenkproblemen oder arthritische Wölfe.

Das alte Lebewesen ist für die Natur ohne jeden Nutzen. »Natürlich« ist nur eine einzige Definition des Alters: Was sich nicht mehr vermehren kann, ist alt und muss sterben.[102] Was hätte die Natur davon, wenn sie komplizierte Reparaturmechanismen für das alternde Wesen entwickeln würde, die aber gar nicht mehr weitergegeben werden können? Das wäre unsinnig und natürlich aufgrund der fehlenden Vererbung gar nicht möglich. Ein Lebewesen, das nicht vererbt, ist ein Fehlinvestment der Natur.

Kurz nach der Jahrtausendwende wurden die falschen Versprechungen von ewiger Jugend und langem Leben so inflationär, dass sich 52 der wichtigsten Biologen und Mediziner auf dem Gebiet der Zell- und Altersforschung zu einem außergewöhnlichen Schritt entschlossen. Sie schrieben: »Die Anwälte der Anti-Aging-Medizin behaupten, dass es jetzt mit bereits existierenden Medikamenten und Methoden möglich sei, den Altersprozess zu verlangsamen, aufzuhalten oder umzukehren. Derartige Behauptungen werden seit Jahrtausenden aufgestellt, und sie sind heute so falsch, wie sie es in der Vergangenheit waren. Wir können die Zeichen des Alters ausradieren, nicht aber das Altern selbst.«

Die Antwort der futuristischen, aber einflussreichen selbst ernannten »American Academy of Anti-Aging Medicine« lautete: »Um es einfach auszudrücken: Der Todeskult der Gerontologen sucht immer noch verzweifelt den heiligen Glauben zu lehren, wonach Altern natürlich und unausweichlich ist. Die Wahrheit über die Möglichkeit, das Altern zu unterbrechen, wird sich eines Tages durchsetzen ... gegen eine Macht-Elite, die am Status quo festhält, um ihre finanzielle Unterstützung in der heutigen Altersforschung nicht zu verlieren.«[103]

Auf der Suche nach Unsterblichkeit

Es gibt bislang nur eine lebensverlängernde Methode, die offenbar Erfolge zeitigt – und zwar bei Fruchtfliegen und Würmern. Lässt man die Tiere hungern – reduziert man also die Aufnahme der freien Radikalen durch Verringerung der Kalorienzufuhr um etwa ein Drittel –, leben sie viel länger. Anfang 2003 veröffentlichte *Science* eine Studie mit der beruhigenden Erkenntnis, dass die Fliege nicht ihr Leben lang hungern muss, um in den Genuss eines längeren Lebens zu kommen. Der Effekt tritt offenbar auch dann ein, wenn die Fliege nur gegen Ende ihrer Lebensspanne anfängt zu hungern. Umgekehrt: Wenn Fliegen, die mit einer speziellen Diät gefüttert werden, wieder die normale Nahrung zu sich nehmen, reduziert sich die Sterblichkeit wieder auf das übliche Maß. Setzt man umgekehrt normale Fruchtfliegen auf Diät, so entspricht ihre viel längere Lebenserwartung schon nach zwei Tagen der Lebenserwartung von Fliegen, die ihr Lebtag schmachten mussten.[104]

Es ist nicht ohne Reiz, dass wir neben so vielem anderen auch das Problem unseres biologischen Alterns an hungernde Drosophila-Fliegen abgetreten haben. Wir folgen in unseren Vorstellungen von Jugend, Reife und Alter, ja von der schieren Dauer des Lebens, immer noch steinzeitlichen Instinkten und ruinieren damit unsere Gesellschaft und unsere Mitmenschen. Und während wir mühsam umlernen, organisieren Milliarden von winzigen, drei Millimeter kleinen Fliegen die nächste Revolution.[105]

Unsere Behauptung, gar nicht »so« alt werden zu wollen, unser lautstarker Abscheu vor dem ewigen irdischen Leben, unser mutiges Eintreten für das Verschwinden von Alten angesichts der Nöte der Jungen – all diese Vorsichtsmaßnahmen, mit denen alternde Menschen ihr eigenes Vorhandensein vorauseilend entschuldigen wollen, entpuppen sich auf dem steinigen Boden der naturwissenschaftlichen Forschung als pure Heuchelei.

Wir klagen über das Altern der vielen, aber wir zahlen Unsummen von Geld und spannen Unsummen von Fruchtfliegen für unsere lebensverlängernden Zwecke ein. Und nicht nur Fliegen, auch andere Tiere. Unlängst ist es einem Forscherteam durch ein anderes Verfahren gelungen, die Lebensdauer von Spulwürmern von 20 Tagen auf 124 Tage hochzuschrauben – auf den Menschen übertragen, so die Wissenschaftler in einer ziemlich steilen Hochrechnung, bedeute das eine Lebenserwartung von 500 Jahren.

Ehe Sie jetzt Pläne für die nächsten Jahrhunderte machen, sollten Sie den Preis kennen, den die Spulwürmer bezahlt haben: »Die untoten Würmer wurden zu Beginn ihres Daseins nicht nur mit gentechnischen Eingriffen unterschiedlicher Art traktiert, die den Hormon- oder genauer den Insulinstoffwechsel radikal herunterregulierten. Ihnen wurde auch schon im schönsten Alter von einigen Stunden der komplette Geschlechtsapparat entfernt. Kastriert und sterilisiert, aber ewig jung.«[106]

Von den Hunger-Lebenskünstlern unter den Fruchtfliegen werden Sie in den nächsten Jahren immer wieder hören; sie sind im Augenblick die wichtigsten Agenten im Projekt der Lebensverlängerung des Menschen.[107] Freilich: Ein Leben am Rande des Verhungerns ist kein Vergnügen, und die Internetuser-group www.infinitefaculty.org, die aufgrund der Forschungsergebnisse an hungernden Mäusen ihr ganzes Leben aufs Hungern umgestellt hat, gilt, wie Gregory Stock mitteilt, als die unfreundlichste des ganzen Internets.[108]

Was immer wir tun: Die Natur will Gegenleistung, und die Gegenleistung heißt nun einmal Fortpflanzung. Wer Geld auf die Bank tut, will, dass es sich vermehrt; wer Gene in Lebewesen pflanzt, wie die Natur das tut, will auch, dass sie sich vermehren. Die Natur investiert in ein Lebewesen hartherzig wie ein Kapitalist. Wenn der Gegenwert (Fortpflanzung) nicht mehr fließt, investiert sie nicht mehr. Die Evolution verfolgt mit dem Altern nicht einen besonders perfiden Plan, und sie straft uns so wenig, wie der Banker das »Start up«-Unternehmen straft, dem er nach Überschreiten der Lebensdauer das Geld entzieht; die Natur verfolgt nichts außer ihrem eigenen Profitstreben, und die Klarheit dieser Absichten macht es uns möglich, den Prozess des Alterns wertfrei zu beurteilen. Wir haben – anders als dies die Religionen und manche Philosophien über Jahrtausende lehrten – nichts falsch gemacht. Die Falten in Ihrem Gesicht, die grauen Haare, die Krankheiten Ihres Körpers sind keine Strafe, und sie *bedeuten* auch nichts. Sie zeigen nur, dass die Natur sich nicht mehr um das alternde Lebewesen kümmert.

Evolutionsbiologen erläutern diese Nachlässigkeit der Natur gerne mit dem Beispiel unserer Autos. Die Natur repariert uns nicht mehr. »Unsere erste Assoziation beim Wort ›Reparatur‹«, schreibt Jared Diamond, einer der originellsten Biologen der Gegenwart, »bezieht sich wahrscheinlich auf jene Reparaturen, die uns am meisten Ärger bereiten, nämlich Autoreparaturen. Unsere Autos werden alt und müssen sterben, aber wir geben viel Geld aus, um ihr unausweichliches Schicksal hinauszuschieben. Ähnlich sind wir auch unbewusst, aber doch ständig damit beschäftigt, uns selbst zu reparieren, und zwar auf jeder Ebene, von den Molekülen über das Gewebe bis hin zu ganzen Organen.«

Nicht nur vernachlässigen unsere Körper nach und nach die

Reparaturen, sie machen beim Reparieren auch immer häufiger Fehler. Und irgendwann kollabieren sie, und dann ergeht es uns wie Charles Chaplin in der Werkstatt von *Moderne Zeiten*. Die Zahnräder drehen durch, und alles geht irgendwie schief.

All die Industriekomplexe, die Stephen S. Hall auf seiner Pilgerreise nach der ewigen Jugend betrat, all die Labors, die er inspizierte, die embryonalen Stammzellen, die er durchs Mikroskop beobachtete, und all die Gespräche, die er führte – das alles hätte aufgrund mangelnder theoretischer Grundlage noch vor 50 Jahren wie der schiere Wahnsinn gewirkt. »Biogerontologen«, schreibt David Gems, »wollen mit wissenschaftlicher Forschung in Zusammenhang gebracht werden, nicht mit einem Gebiet, das mit Ziegenhoden und Joghurt-Diäten assoziiert wird.«

Der Vergleich des Körpers mit dem Auto hat sich in unseren Köpfen längst festgesetzt, und wir werden ihn von dort nicht mehr vertreiben können. Wir sollten uns darauf einstellen, dass die Gesellschaft, in der wir später einmal leben werden, den Körper des Menschen unter dem Gesichtspunkt seiner Reparierbarkeit beziehungsweise seiner Nützlichkeit als Ersatzteillager betrachtet. Selbst sensible Herrscher des Wortes finden für den Prozess ihres Alterns selten ein würdiges und passendes Bild. »Ich bin jetzt 61«, notiert der in den USA lebende Lyriker Charles Simic, »und fühle mich an manchen Tagen wie ein Auto mit 300 000 Kilometern auf dem Tacho. Der Motor stottert manchmal, die Heizung lässt sich nicht abschalten, die Karosserie rostet, die Sitzpolster sind fleckig und zerrissen, ein Scheibenwischer funktioniert nicht mehr, der Auspuff hat Löcher, und der Wagen verliert Öl. Mein Arzt sagt, ich soll mir keine Sorgen machen. Er besteht darauf, dass ich trotz Bluthochdruck, einem Anflug von Diabetes und

Taubheit in einem Ohr in guter Verfassung bin. Er klingt immer mehr wie ein Gebrauchtwagenhändler, der einen Unfallwagen wieder flottmachen muss. Aber was soll ich machen? Ich höre ihm zu wie ein leicht zu beschwatzender Kunde und fahre nach der Konsultation in einer Abgaswolke fröhlich von dannen, ausgelassen und ein Lied auf den Lippen.«

Es klingt – nach allem, was wir gehört haben – ganz selbstverständlich, wenn selbst ein Dichter vom Range des Nobelpreiskandidaten Charles Simic das Altern seines Körpers mit der Reparatur eines Autos vergleicht. Tatsächlich ist die Evolutionstheorie des Alterns noch sehr jung – so jung, dass sie wie bestellt wirkt, um dem großen Altersschub der Babyboomer eine Hoffnung auf längeres, manche sagen: auf ewiges Leben zu geben.

Die Methusalem-Generation

Das amerikanische Magazin *Discover* berichtete im Herbst 2003 davon, dass immer mehr ältere Menschen schon viele Jahre vor ihrem 100. Geburtstag die Feierlichkeiten planen. In solchen Verabredungen steckt nicht Hybris und Größenwahn, wie uns die Gesellschaft und die Antike einreden wollen, sondern die einzig realistische Möglichkeit, sein Altern im 21. Jahrhundert fruchtbar zu machen. So wie die Welt lernen musste, dass die Sonne sich nicht um die Erde dreht, auch wenn es täglich so aussieht, so muss der Mensch lernen, dass Altern längst kein degenerativer und auf ewig definierter Prozess mehr ist, auch wenn die Menschen, die alt werden, so aussehen mögen.

Wir werden lernen müssen, diese Linearität zugunsten eines komplexeren Modells aufzugeben, das im Altern nicht nur einen Degenerationsprozess sieht, sondern eine Wellenbewegung, deren Ausschlagsbreite elementar von den psychischen und gesellschaftlichen Altersbildern abhängen wird. Die autosuggestive Formel des absoluten Abbaus jedenfalls wird die nächsten drei Jahrzehnte, die Zeit unseres eigenen Alterns, nicht überleben können. Als Anfang 2001 das National Institute of Aging in den USA einen Bericht über den »dramatischen Rückgang von Behinderungen« bei älteren Amerikanern bekannt machte, zeigten sich die Forscher sehr vom Ausmaß des Rückgangs so genannter alterstypischer Gebrechen bei der damaligen Generation der Älteren beeindruckt. Noch faszinierter aber waren sie von der Geschwindigkeit, mit der er eingetreten war – eine Beschleunigung, die mit der ebenfalls unvorhergesehenen Lebenserwartungsverlängerung zusammentrifft.[109] Natürlich führen diese Veränderungen der Kurven nicht zu Unsterblichkeit, und sie sind noch nicht einmal eine Garantie für eine immer weitere Verschiebung der Lebensgrenzen; unklar ist auch, ob es sich gewissermaßen um den »Lohn« des 20. Jahrhunderts handelt, dessen Ernährungs- und Hygienemaßnahmen ihren Segen jetzt erst entfalten können. Aber alle Daten zeigen, dass der Prozess allem Anschein nach nicht aufhört, sondern sich weiter beschleunigt.

Die Logik des Verfalls ist aber auch deshalb fragwürdig geworden, weil offenbar Menschen, die erst einmal 90 geworden sind, gute Chancen haben, auch 100 zu werden.

Wer diese Aufstellung sieht, muss James Vaupel Recht geben, dass es kein einziges Indiz dafür gibt, dass die Lebenserwartung an eine Grenze stößt. Im Gegenteil: Wer es geschafft hat, älter als 85 Jahre zu werden, für den stehen die Chancen sehr gut, auch 100 zu werden.

1969 besuchte ein 9-jähriger Junge namens Richard Gott die Berliner Mauer und, wenig später, Stonehenge. Jahrzehnte später, Gott war mittlerweile ein berühmter und umstrittener Astrophysiker aus Princeton, benutzte er diesen Besuch für seine Theorie des Überlebens, die er im Jahre 1993 in der Zeitschrift *Nature* veröffentlichte. Seine ebenso einfache wie schlagende, allerdings mathematisch höchst kompliziert vorgetragene Beobachtung: Was nur lange genug da ist, dessen Chancen steigen immer stärker, noch länger zu bleiben, als alles, was erst weniger lang existiert.

Richard Gott hatte Recht, was Berliner Mauer und Stonehenge betraf, aber seine Theorie funktionierte auch beim Broadway. »Er listete alle Stücke und Musicals auf, die an einem bestimmten Tag (27. Mai 1993) auf dem Broadway ge-

146

geben wurden, und ermittelte, wie lange sie schon auf dem Programm standen. Anhand dieser Grundlage prognostizierte er, dass diejenigen, die am längsten gelaufen waren, sich auch am längsten halten würden. *Cats* stand bereits seit 10,6 Jahren auf dem Spielplan, und es sollte dort noch mehr als sieben Jahre bleiben. Die Mehrheit der übrigen Stücke, die seit weniger als einem Monat auf dem Programm waren, verschwanden innerhalb weniger Wochen wieder.«[110]

Es ist das staunenswerte Anwachsen der 100-Jährigen in unseren Gesellschaften, das unsere Vorstellung vom Alter als reinem Degenerationsprozess bis zu einem gewissen Grad wissenschaftlich widerlegt. Wer an die 100 heranaltert, dessen Mortalität sinkt überraschenderweise leicht. Das ist uns eigentlich nicht neu: Wir wissen, dass Autos, die sehr lange alt gewesen sind und überlebt haben, plötzlich wertvoll sind und nie wieder verschwinden. Was die Oldtimer für die Autosammler, sind die 100-Jährigen für die Gesellschaft.

Altern ist viel mehrdeutiger, als man noch bis vor kurzem glaubte, und jedenfalls ist es nicht nur eine Krankheit zum Tode, sondern auch eine zum Überleben. Eine ganze Reihe von Erkrankungen – von Asthma bis Krebs – verlangsamen sich im Alter oder gehen zurück. Forscher haben festgestellt, dass sich das Krebsrisiko, welches das ganze Leben über steil ansteigt, im hohen Alter abnimmt. Das Wachstum von Tumoren ist – vermutlich aufgrund der Verlangsamung sämtlicher physiologischer Prozesse – erheblich verzögert.[111] Alter, so die Forscher, beschleunigt Krebs (und andere Krankheiten), und Alter kann ebenso gut das Risiko im hohen Alter wieder reduzieren. Ein Mensch kann, wie die Forscher gezeigt haben, mit 90 Jahren gesünder, schöpferischer, jünger sein, als er es mit 80 war. Die überraschende Entdeckung der letzten Jahre, dass die Sterblichkeit des Menschen in sehr hohem Alter wieder leicht zurückgeht, verändert unser Bild von der Lebenstreppe; die berühmten Lebensstufen führen am Ende bei manchen Menschen plötzlich noch einmal ein kleines Stück nach oben.

Dieses Phänomen stimmt übrigens mit dem vielfach bezeugten Lebensgefühl sehr alter Menschen überein. Ich habe in meinem Leben einige 100-Jährige getroffen und unter ihnen solche, die ihr Leben lang eine abenteuerliche geistige Existenz geführt hatten. Der Philosoph Hans-Georg Gadamer und der Schriftsteller Ernst Jünger hatten nicht nur als 100-Jährige noch Pläne, sondern auch das Gefühl, sich mit 100 besser zu fühlen als fünf Jahre zuvor.

Wir reden von Diagnosen, Beschreibungen und Erwartungen des frühen 21. Jahrhunderts, das heißt von älteren Menschen, die zwischen 1910 und 1930 geboren worden sind. In 20 oder 30 Jahren werden die biologischen, medizinischen und demographischen Bedingungen mit an Sicherheit grenzender Wahrscheinlichkeit noch viel günstiger geworden sein. Die Chancen beispielsweise, schon heute die Zeit von 80 bis 100 Jahren zu überleben – ein Zeitraum, den praktisch jeder Mensch automatisch von seiner aktiven Lebenszeit abzieht –, sind in der Tat immer noch sehr gering.[112] Aber sie sind in den letzten 20 Jahren um mehr als 180 Prozent gestiegen, und zwar nicht – wie zu Beginn des 20. Jahrhunderts – aufgrund von Erfolgen bei der Seuchenbekämpfung.

Das ist der Grund, weshalb die demographischen Prognosen von James Vaupel und anderen so ungemein viel Sprengstoff bergen: Treffen seine Interpretationen der sich abflachenden Sterblichkeitskurve im sehr hohen Alter zu, werden alle heutigen Vorstellungen der Lebenskurve revolutioniert.

Unsterblichkeit ohne Fortpflanzung ist in den Augen der Evolution ein sinnloses Unterfangen. Irdische Zeit ist kontaminierte Zeit, denn seit Tithonos ewiges Leben geschenkt

100 Jahre: Die neue Lebensgrenze?

Anzahl der 100-Jährigen in der Gesamtbevölkerung,
1960 und 1990

Land	1.1.1960		1.1.1990	
	Anzahl	pro Million	Anzahl	pro Million
Österreich	25	3.5	232	29.8
Belgien	–	–	474	48.1
Dänemark	19	4.1	323	62.8
England & Wales	531	11.6	3890	76.3
Estland	–	–	42	26.7
Finnland	11	2.5	141	28.3
Frankreich	371	8.1	3853	67.9
Deutschland, West	119	2.2	2528	40.0
Island	3	17.0	17	66.7
Irland	–	–	87	24.8
Italien	265	5.4	2047	35.5
Japan	155	1.7	3126	25.3
Niederlande	62	5.4	818	54.7
Neuseeland	18	7.6	198	59.2
Norwegen	73	20.4	300	70.7
Portugal	–	–	268	27.2
Singapur	–	–	41	15.2
Schweden	72	9.6	583	68.1
Schweiz	29	5.4	338	50.4
14 Länder	1753	5.3	18394	45.1
19 Länder	–	–	19306	44.3

Quelle: Väino Kannisto: The Advancing Frontier of Survival,
Max-Planck-Institut Rostock, 1996

wurde, aber keine ewige Jugend, also Fortpflanzungsfähigkeit, steht fest, dass Langlebigkeit ohne Jugend ein Fluch ist. Unter den vielen medizinischen Sensationen, die auf uns in unserer Lebenszeit noch warten mögen, werden viele mit dem Alterungsprozess zu tun haben; am Ende könnte zwar nicht die Aufhebung des Alterns selbst, wohl aber die weitere beträchtliche Verlängerung der Lebenszeit durch medizinische oder gentechnische Eingriffe sein.

Die Tatsache, dass in all unseren demographischen Szenarien wissenschaftliche und medizinische Entdeckungen überhaupt nicht eingerechnet sind, lässt erwarten, dass wir keineswegs die extremste Prognose wählen.[113] Die Wahrscheinlichkeit, dass Medizin und Genforschung das Leben weiter verlängern oder den Alterungsprozess verzögern, ist zumindest groß genug, um Effekte noch in unser aller Lebenszeit zu erwarten.

Die Indizien verdichten sich immer mehr, dass die Pathologie des Alterns bei Alten ähnlich gemildert werden kann wie Anfang des letzten Jahrhunderts die Sterblichkeit von Kindern und Müttern. Gregory Stock, einer der Forscher, die am weitesten gehen, plädiert sogar für einen Krieg gegen das Alter, vergleichbar dem Krieg gegen Krebs, den Nixon einst eröffnete: »Die gegenwärtigen Aussichten, das Altern zu verzögern oder sogar einige Schlüsselaspekte umzukehren, sind einigermaßen gut. Die Bemühungen der Forscher sind jedenfalls keine Don Quichotterien, keine Reprisen der Suche nach dem Jungbrunnen. Gene steuern die Altersprozesse in Tieren. Eine Maus, ein Kanarienvogel, eine Fledermaus sind alle Warmblüter, haben alle die gleiche Größe, aber Lebensspannen von drei, 13 und 50 Jahren. Eines Tages könnte es uns gelingen, unsere Gene so zu verändern, dass wir unsere Lebensspanne ausdehnen können.«[114]

150

Offenbar durchbricht die Lebenserwartung immer wieder die Grenzen, die ihr Mediziner und Statistiker gesetzt haben. Aber wie bei einem Börsenkurs müssten Politiker eigentlich mit angehaltenem Atem die Kurven der Lebenserwartung studieren. Würden von heute auf morgen Krebs, Diabetes, Herzkrankheiten und Schlaganfälle verschwinden, würde die Lebenserwartung des Menschen nur um relativ bescheidene 15 Jahre wachsen, würde es aber gelingen, die Alterung nur geringfügig zu verzögern, wären Lebensalter von 115 und mehr Jahren keine Seltenheit mehr.[115]

Teil 3
Die Mission

Unsere Mission ist es, alt zu werden. Wir haben keine andere. Es ist die Aufgabe unseres Lebens.

Sie müssen lernen, 50 und 60 Jahre alt zu werden. Ihre künftigen Geburtstage werden durch die veränderte Zusammensetzung unserer Gesellschaft ein ganz neues Gewicht bekommen. Und Sie müssen lernen, was es heißt, 70, 80 oder auch 90 Jahre alt zu werden, ohne dabei zu verstummen.

Vor allem aber müssen Sie leben, so merkwürdig Ihnen dieser Appell heute erscheinen mag.

Es wird viele geben, die Ihnen Fahnenflucht und Desertion, zum Beispiel den Freitod, anbieten werden. Während Sie Sport treiben, sich gesund ernähren und Ihre Altersvorsorge in die eigene Hand nehmen, sind die Bücher und Aufsätze schon geschrieben, die begründen, warum es moralisch gerechtfertigt sein kann, Sie im Alter zu töten.

Die Propaganda der Feinde wird versuchen, Sie davon abzubringen, an Ihre Mission zu glauben. Die Feinde sind überall: Es sind alte und junge Leute, Werbung und Medien, die Bürokraten einer sozialstaatlichen Entmündigung, die die Lebensarbeitszeit glaubt definieren zu können. Mit allen Tricks wird man versuchen, Ihr Selbstbewusstsein zu erobern und zu kolonialisieren. Der Angriff beginnt mit Ihrem Spiegelbild und endet mit Ihrem Gehirn.

Es gibt zwei Angriffswellen, jede für sich ungeheuerlich, auf die Sie sich einstellen müssen. Die erste lautet »alt und hässlich« (das Spiegelbild), die zweite lautet »alt und senil« (das

Gehirn). Lassen Sie sich nichts einreden; begehen Sie nicht den Fehler, jetzt die emotionalen und intellektuellen Ressourcen durch Zukunftsangst zu vergeuden. Sie brauchen sie noch.

Jung zu sterben, dieser ewige Mythos der Poesie, ist das biologische Programm von Gesellschaften, die zur Erhaltung ihrer Population Kriege führen wollten. Der Kriegsheld Ernst Jünger hat berichtet, dass er bereit gewesen wäre, für einen Pakt mit dem Teufel mit 30 Jahren freiwillig von der Bühne abzutreten. Ich habe Jünger getroffen, als er über 100 Jahre alt war, und einen Menschen gefunden, der in seiner Existenz den vollkommenen Wandel der Lebenszyklen verkörperte.

Hollywood in der Revolte

Stellen Sie sich vor, es gäbe eine Zwangsverrentung beim Träumen. Träume von Menschen, die jünger als 40 sind, hält man für sexy, interessant und symbolisch; Träume von Älteren werden grundsätzlich als sinnlos und todesnah gelten, und man empfiehlt Ihnen mit leicht verlogenem Lächeln, aus gesundheitlichen Gründen das Träumen einzustellen. Oder malen Sie sich aus, wie es wäre, wenn der rabiate Herr Osler sich auch auf dem Gebiet der Künste durchgesetzt hätte: Bücher und Gemälde würden nur veröffentlicht, gelesen und angeschaut, wenn ihre Urheber noch keine 40 Jahre alt wären. Alles andere, von Goethes *Faust* bis zu Patricia Highsmiths *Ripley Under Ground*, wäre zensiert, ehe es auch nur die Chance hätte, unser Bewusstsein zu erreichen.

Was Ihnen absurd vorkommen mag, ist längst Wirklichkeit. Es betrifft fast alle unsere kollektiven Träume, die mit elektronischen Medien verbreitet werden und die zu annähernd 90 Prozent den Kopf eines Durchschnittseuropäers ausfüllen. Die großen Bewusstseinskombinate der westlichen Welt, Film, Fernsehen und Werbung, kennen als entscheidendes Kriterium einzig das Geburtsdatum. Das Erstaunliche ist, dass wir den jugendgetriebenen Selektionsdruck der »Traumfabrik« – Alte müssen sterben, damit neue Junge nachwachsen – nur für ein Problem der Schauspieler halten. Es ist eines, die Jugend zu verherrlichen; etwas anderes aber ist es, die Jugend dadurch zu erhöhen, dass man die Älteren erniedrigt. Die »Unterhaltungsindustrie hat das Altern zu etwas gemacht, das wir fürchten müssen«, sagte eine ihrer erfolgreicheren Repräsentantinnen bei einer offiziellen Anhörung und führte aus:

»Herr Vorsitzender, Mitglieder des Ausschusses, meine Damen und Herren:

Ich bin in meinen 70ern. Ich bin auf dem Höhepunkt meiner Karriere. Ich habe niemals mehr Geld verdient und niemals mehr Steuern bezahlt als heute. Dennoch hält mich die Gesellschaft für etwas, das man entsorgen muss. Meine Ansichten hält sie für irrelevant, meine Bedürfnisse für komisch und meinen Geschmack für etwas, das auf den Märkten keine Rolle spielt. Meine Altersgenossen und ich werden als abhängig, hilflos, unproduktiv dargestellt, als fordernde Wesen, nicht als gebende. In Wahrheit bildet die Mehrheit der Älteren eine selbstgenügsame Mittelklasse, Konsumenten, die größere finanzielle Möglichkeiten haben als die meisten jungen Paare; eine Schicht, die der Gesellschaft zudem Zeit und Begabung anbieten kann. Das, sehr geehrter Herr Vorsitzender, ist nicht nur eine traurige Situation. Es ist ein Verbrechen. Ich bin hier, weil ich Sie dazu drängen möchte, sich den enormen seelischen Verheerungen, den Verlusten und Kosten zu stellen, die unsere Nation durch Altersdiskriminierung erleidet.«[116]

Doris Roberts, die mit diesen Worten am 4. September des Jahres 2002 vor den amerikanischen Senatsausschuss für Altersfragen trat, ist vermutlich eine der erfolgreichsten älteren Schauspielerinnen der USA. Nicht wenige sehen in der Emmy-Preisträgerin das Urbild einer amerikanischen Großmutter. Eine Großmutter, die in die Rolle der Barrikadenkämpferin schlüpfte – das hatte vielleicht der Ausschuss, nicht aber die Öffentlichkeit und schon gar nicht Hollywood gesehen. Ein Jahr später, als die große Klagewelle wegen Altersdiskriminierung anrollte, sollten sich viele an diese große Rede erinnern.

Denn hier ging es nicht nur um den äußeren Schönheits-

und Jugendterror, der so alt ist wie die Studios selbst. Zwar war auch hier eine Verschärfung eingetreten, weil die Jugendmuster immer extremistischer wurden. Roberts beschreibt ein Hollywood, in dem Frauen mit 25 Jahren Botox-Injektionen verpasst bekommen und mit 40 Jahren schon fast zu alt sind, um Großmütter zu spielen – wobei offen bleibt, ob die Rolle überhaupt vorgesehen ist; eine Untersuchung der Bühnengewerkschaft jedenfalls beweist, dass es dreimal so viel Rollen für Frauen unter 40 Jahren gab als für ältere Frauen.

Doch Roberts zeigte, dass das Misstrauen gegenüber dem alternden Menschen so groß ist, dass man noch nicht einmal mehr seinen Geschichten, ja nicht seinen Träumen traut. Weil man aber Gehirne keiner Schönheitskosmetik und keinem »face lifting« unterziehen kann, wurden die Köpfe selbst ausgetauscht. »Vor 20 Jahren«, so Roberts vor einem sichtlich erstaunten Publikum, »gehörten erfahrene Drehbuchschreiber jenseits der 50 zu den begehrtesten der ganzen Industrie. Sie verfügten über 60 Prozent aller Jobs. Jetzt ist der Anteil auf 19 Prozent geschrumpft. Keine sechs Monate ist es her, dass ich mit einem Autor, einem berühmten Emmy-Award-Preisträger, ein Projekt entwickelte. Als der Zeitpunkt gekommen war, wo wir unser Buch den Studios vorstellen mussten, weigerte er sich mitzukommen. ›Wenn die meine grauen Haare sehen, sind wir erledigt‹, sagte er. Warum – frage ich – glaubt Hollywood, dass ein Mann in seinen 50ern nichts über Liebe oder Jugend oder Beziehungen zu sagen hat? Ich weiß, er hat sehr viel zu sagen, wenn nur einer zuhören würde.«[117]

Kein Jahr nach dieser Rede eskalierte die Situation. Es kam zu einer beispiellosen Revolte. 175 Drehbuchautoren reichten Klage gegen die zentralen Fernsehsender und Filmstudios mit dem Vorwurf ein, Menschen über 40 würden grundsätzlich nicht mehr von den Sendern beschäftigt. In den Studios, so die

Autoren – darunter Grammy-Preisträger und Kojak-Erfinder –, kursierten »graue Listen«, in denen Menschen nicht mehr nach Rasse oder Geschlecht, sondern nach Alter selektiert würden.

Wenn Sie darüber den Kopf geschüttelt haben, dass der große Osler vor 100 Jahren die damals schon absurde Diagnose gestellt hat, Leute über 40 würden nichts mehr zur Gesellschaft beitragen, dann wäre jetzt der Zeitpunkt gekommen, über uns selbst zu staunen. Seither hat die Lebenserwartung sich verdoppelt, die Gesundheit erhöht, der körperliche und seelische Verschleiß wurde reduziert. Und dennoch operiert unsere Gesellschaft in einer ihrer entscheidendsten Industrien, dort wo Träume, Bewusstsein und Geschichten für ganze Nationen geschaffen werden, mit einem fast fanatisch ausgeübten Selektionsdruck. Die »Welt in unserem Kopf«, um Canetti zu zitieren, stammt von jungen Leuten. Erfahrungen, Lebens-, ja Sterblichkeitsgefühle von Älteren sind nicht vorhanden.

Die Zensur von Geschichten, *ehe* sie geschrieben sind, weil der Autor der Geschichte zu alt zu sein scheint, ist ohne Zweifel eine neue Stufe von Altersrassismus, und – da Hollywood der Gesellschaft in vielem vorangeht – ein Symptom, das im Prinzip die Identität von uns allen betrifft. Wir alle sind, die wir sind, weil wir unser Leben wie eine Erzählung erleben, mit Anfang und Ende, Höhen und Tiefen, Deutungen und Erwartungen, und wir sind dauernd damit beschäftigt, den Text unseres Lebens umzuschreiben. Wer sagt, dass Ältere keine Geschichten mehr erzählen können, die andere interessieren, wird ihnen in einem nächsten Schritt die Fähigkeit absprechen, Autoren ihrer eigenen Lebensgeschichte zu sein.

Kinderbücher, Witze, Glückwunschkarten

Die schönen, lachenden, jungen Menschen im Fernsehen, in Illustrierten sind eine ständige Beleidigung für diejenigen, die schön sind und lachen, aber nicht mehr jung sind. In Medien und Werbung, wo die Lebensläufe schon mit 16 Jahren beginnen, sind die 30-Jährigen die beherrschende, aber auch die alte Klasse. Es ist allerdings ein Irrtum zu glauben, Jugendwahn und Altersangst seien durch die Werbung und Illustrierten in die Welt gekommen. Es liegt auch nicht an Hollywood und nicht an den undankbaren Kindern, die plötzlich beschlossen hätten, ihre Eltern nicht mehr zu ehren. Dass die Medien eine Jugendreligion verbreiten, hat zwei Ursachen.

Schöne junge Menschen sind gleichsam die Botschafter des Fortpflanzungsauftrags und damit in unseren Augen besonders intakt. Und ältere Menschen sind in den Augen der Werbung nicht mehr beeinflussbar, was ihre Wahl- und Kaufentscheidungen angeht.

Die Angst vor dem Alter ist eine biologische Botschaft. Sie ist älter als unser Bewusstsein und, so paradox es klingen mag, sogar älter als unsere Angst.

Die Kafir-Kinder in Südafrika leiden an einer sonderbaren Zwangsvorstellung. Wann immer sie Zeichen des Alterns an sich entdecken, erfüllt sie furchtbare Angst. Wenn der Bartwuchs beginnt, reißen sie sich die Barthaare aus; sie beten zu ihren Ahnen, damit diese sie vor dem Alter schützen.[118]

Gerontophobie, die Angst vor dem Altern, wird als Urangst durch die globalen Medienindustrien wie ein Virus verbreitet,

161

aber ihren Sitz hat sie in uns selber. Die Angst vor dem Altern und die Unfähigkeit, mit ihr umzugehen, ist kein Luxus verweichlichter Gesellschaften, sie ist, und das macht die Lage so prekär, ein tief sitzendes biologisches Programm. Weil biologische Muster angeblich »natürlich« sind, übernehmen wir sie instinktiv als Bestandteile unseres täglichen Lebens und nennen sie Kultur – als wäre Kultur nicht gerade dadurch definiert, dass sie der Natur ihre Grenzen weist.

Auch wir entfernen alles aus dem Antlitz unserer Gesellschaft, was ein Symptom des Alterns ist. Wir gehen dabei zwei Wege. Wir schaffen Monstren, oder wir schaffen buchstäblich Nichts. Forscher haben in den letzten Jahren das Bild des Alters in unserer Gesellschaft mit den Augen eines fremden Stammes untersucht. Sie haben Fernsehsendungen, Zeitschriften und Zeitungen, Filme, Kinderbücher, Witze, Glückwunschkarten und sogar Todesanzeigen analysiert. In einer Gesellschaft, in der nur existiert, was im Bild existiert, waren die Ergebnisse niederschmetternd.

Schon in Kindern werden mit Zeichentrickfilmen tiefe Ängste vor alt gewordenen Menschen eingepflanzt.[119] Ältere sind in über 90 Prozent der Fälle bösartig, egoistisch, eitel, kriminell. Und wie die Hexe im Märchen, die aus den gleichen biologischen Motiven entstanden ist, haben sie eine Schwäche für Kinder, die sich einfangen und auffressen lassen.[120] Sind 6- bis 8-jährige Kinder mit einer 70-jährigen und einer 35-jährigen Person in einem Raum, meiden sie die ältere Person, nehmen seltener Blickkontakt mit ihr auf, halten großen Abstand, beginnen seltener Gespräche und benutzen weniger Worte. Offenbar wächst die Altersangst durch die im Fernsehen produzierten Bilder. 4-Jährige unterscheiden noch nicht zwischen dem älteren und dem jüngeren Menschen.[121]

In allen Unterhaltungssendungen, die etwa 1990 von den

vier großen amerikanischen Fernsehanstalten im Zeitraum von vier Wochen ausgestrahlt wurden, tauchten ältere Menschen über 50 nur in 13 Prozent der Fälle auf.

Die Botschaften in Witzen und Grußkarten sind fast durchgängig negativ.

In einer Untersuchung des deutschen Fernsehens wird gezeigt, dass schon die 60-Jährigen massiv unterrepräsentiert sind, in Studiosendungen und Straßenbefragungen sind Ältere mehrheitlich als passive Wesen aufgetreten.

Dass sich das Altern der Geschlechter nach einem doppelten Standard vollzieht, weiß auch jeder, der Fernsehen schaut, Zeitschriften liest oder ins Kino geht. Ältere Frauen sind noch unterrepräsentierter als ältere Männer und existieren in einem Alter ab 75 im Fernsehen praktisch überhaupt nicht mehr.

Ein amerikanisches Forscherteam hat bereits 1997 die Rolle der alternden Frau in Unterhaltungsfilmen analysiert, mit einem Ergebnis, das bereits der Titel ihrer Studie nennt: »Unterrepräsentiert, unattraktiv, unfreundlich und unintelligent«.[122]

Weitere Ergebnisse belegen die »stille Sozialisation«, das heißt die Art und Weise, wie wir indirekt mit Rollenbildern versorgt werden.[123] In amerikanischen Kinderprogrammen und Fernsehshows spielen ältere Frauen vorzugsweise negativ besetzte Rollen: die übertrieben gute Ehefrau, das schlichte Hausmütterchen, die matriarchalische Herrscherin, die Hexe, die sadistische Mutter.[124]

Entmündigung durch Sprache

Ob Mann oder Frau, diskriminiert werden wir alle. Wie bei einer Uhr, die immer wieder nachgeht, versuchen viele bei älteren Menschen etwas zu korrigieren, was ihnen wie eine Abweichung von der Norm vorkommt. Widersprach in Fernsehsendungen ein älterer Gast dem jüngeren Reporter oder Gesprächspartner (keine hierarchische Autorität wie etwa ein Politiker) oder wich vom Thema ab, so reagierten die Interviewer mit einer deutlichen »Tendenz zur Entmündigung«. Sie wiederholten das Thema unermüdlich, wenn der ältere Gesprächspartner es verlassen wollte, oder ignorierten seine Einwände schlicht.[125]

Wir sehen schlechter und hören schlechter, wenn wir altern, und glauben dadurch irrigerweise auch schlechter zu denken. Wir werden aber, was die Sache noch mehr verschärft, auch von den anderen so schlecht gesehen, dass wir in den Bildmedien gar nicht mehr existieren. Und was wir sagen, wird offenbar kaum noch verstanden.

Wir werden Sehkraft *und* Gehör, unser Spiegelbild *und* unsere Sprache verlieren. Glauben Sie es nicht mir, glauben Sie jenen, die all die umfangreichen Studien ausgewertet haben. Schon mit Blick auf die heutigen Zahlenverhältnisse zwischen Jung und Alt müssten wir Konsequenzen ziehen. Sprache ist Wirklichkeit, Sprache schafft Wirklichkeit. Akzeptieren wir die Tatsache, dass wir es sind, die in den kommenden zwei bis vier Jahrzehnten als Bewohner dieser überquellenden Hölle gegrillt werden – lange bevor die Klimakatastrophe uns erwischt. Wenn wir unsere diskriminierenden Einstellungen nicht grundsätzlich ändern, werden wir, die Alten der Zukunft, eine eigene übersetzungsbedürftige Sprache sprechen; wie einst in der Sklavensprache werden im Altersjargon Dominanz- und Unterwerfungsriten eine eigene Grammatik unserer Gefühle bilden.

Wir sollten wissen, wie mit uns geredet werden wird, wenn wir die Schwächeren sind. Wir sollten es schon deshalb wissen, weil wir die ersten Älteren in einer Kommunikations- und Informationsgesellschaft sein werden. Die jüngeren Menschen, die nach uns kommen, werden durchs Internet die Botschaft empfangen, dass nur existiert, was kommuniziert. Psychologen haben berichtet, dass Unterhaltungen zwischen Pflegekräften und älteren Patienten von Unterhaltungen zwischen Erwachsenen und 2-jährigen Kleinkindern nicht unterschieden werden können. Es handelt sich nämlich häufig nicht um Unterhaltungen, sondern um »sekundäre Babysprache«, und ihr Gebrauch war nicht davon abhängig, in welcher geistigen Verfassung der ältere Mensch war.

»Der jüngere Sprecher wird, wenn er zum Beispiel eine gewisse Schwerhörigkeit bemerkt, nicht nur lauter sprechen, sondern möglicherweise auch bemüht sein, einfacher zu sprechen und seine Intonation zu verändern«.[126] Solche »Überanpassung« ist natürlich ein Teufelskreis. Der ältere Sprecher hat den Eindruck, nicht mehr ernst genommen zu werden, verändert sein Reden und beschädigt seine Selbsteinschätzung. Was geschieht, wenn wir alle, die wir die künftige Mehrheit dieser Gesellschaft bilden werden, jedes Jahr ein ganz kleines bisschen schlechter hören und sehen werden? Dieser Verschleiß, das belegen alle Untersuchungen, wird von Jüngeren, etwa in Unterhaltungen, bereits als Zeichen von intellektueller Schwäche gedeutet.

Wir müssen zu Forschern des Alltags werden. Längst sind Raster für unser Kommunikationsverhalten aufgestellt. Sigrun-Heide Filipp und Anne-Kathrin Mayer verzeichnen unter anderem folgende Strategien der »Unteranpassung« im Sprechen von Älteren:

- Ältere Menschen vermeiden im Gespräch mit Jüngeren gezielt bestimmte Themen. Offenbar handelt es sich dabei vor allem um Themen, die Vergleiche mit den Jüngeren provozieren könnten und die zum Nachteil der Älteren ausfallen könnten.

- Selbstabwertung: Wenn sich der Ältere überfordert fühlt, verweist er auf gesundheitliche Probleme etc. Er will damit klarstellen, dass es nicht auf mangelndes Bemühen zurückzuführen ist, wenn er den Erwartungen des Gesprächspartners nicht genügt.

- Ältere Menschen passen ihr Gesprächsverhalten »den vermuteten Erwartungen« an, die man mit Älteren verbindet. Dazu gehören: langsame Sprechgeschwindigkeit und besonders häufiger Gebrauch von Erzählstilen, die sich mit der Vergangenheit befassen.

Es kann sein, dass ein Land, in dem die Mehrheit immer schlechter hört und sieht, neue Sprechweisen entwickelt. Wir müssen begreifen lernen, dass das etwas theoretische Problem, wie man miteinander spricht – das philosophische Problem, dass sich in Gesprächen zwischen Menschen sehr schnell nicht die Kraft der Argumente, sondern ein Recht des Stärkeren durchsetzt –, in unserem künftigen Alter von existentieller Bedeutung sein wird.

Hollywoods gemobbte Drehbuchschreiber sind ein warnendes Rollenmodell. Wir müssen uns hörbar machen. Wir müssen darauf gefasst sein, dass man uns einschüchtern wird. Wir haben sehr wohl mitzureden, wenn es um Beziehungen und Leben und Liebe geht, denn wir sind nicht die Autoren von Filmstudios, sondern die Autoren unseres Lebens. Und gerade beim Sprechen und Erzählen können ältere Menschen die Gesellschaften enorm bereichern. Sprache gehört zu den Kulturtechniken, die der Mensch noch bis ins höchste Alter beherrscht und sogar noch verbessert, und deshalb sind sprachliche Altersstile denkbar, von denen wir uns heute noch keine Vorstellung machen. Alle einschlägigen Berichte bestätigen, dass unsere Sprache ein Schatz ist, der im Alter nicht versiegt, sondern sogar noch zunehmen kann. Die Großmutter, die im Schaukelstuhl Märchen erzählt, ist eine uns allen vertraute Idylle. In Zeiten des Internets wird die Wortmächtigkeit des alternden Gehirns zusammen mit einem gewachsenen Erfahrungsschatz ganz neue Chancen des Ausdrucks haben. Denn das Alter weckt, wie man heute weiß, in uns nicht nur Geschichten, sondern es verstärkt auch das Talent, sie zu erzählen.[127] Sie müssen Ihr Gehirn nur trainieren – zum Beispiel das tun, was Sie gerade tun, nämlich lesen.

Den Babyboomern, die einst die Sprache der Jugend tief greifender als irgendeine Generation zuvor revolutionierten, könnte etwas Ähnliches gelingen, wenn sie sich, ausgerüstet mit viel Zeit und dem Wunsch mitzumischen, von 2010 an im gesellschaftlichen Ruhestand befinden. Sprache, das hat diese Generation seit den »Sit-ins« der Studentenproteste in Berkeley und Frankfurt verstanden, ist eine sehr kostengünstige und dabei sehr wirkungsvolle Waffe.

Sie zu beherrschen ist deshalb wichtig, weil junge Menschen, die unter uns vielen Alten leiden werden, deren Selbstbewusstsein und geistige Zurechnungsfähigkeit vor allem durch Sprache untergraben. Selbst wenn die Jüngeren gar nicht glauben, dass der ältere Mensch, mit dem sie zu tun haben, dümmer geworden ist oder schwerfälliger oder umständlicher – denn auch das abschweifende Reden älterer Menschen wurde längst untersucht –, so können sich doch durch entsprechende Redestrategien ganz neue Machtverhältnisse etablieren.

Man hat Älteren Tonbänder vorgespielt, in denen derselbe Satz in der Babysprache und in der Sprache der Erwachsenen gesprochen wurde, man hat Reaktionen getestet und dabei die Lebensgeschichte des Betroffenen berücksichtigt – ausnahmslos führte die entmündigende Sprache im Alter zur Entmündigung des Selbst. Es wird unsere Aufgabe sein, gegen diese existierende Sprache eine neue Sprache zu setzen. Unsere Biographien sind mehr als Lebensläufe, die man über das Internet in die Datenbanken der Jobbörsen hochlädt. Unsere Lebensläufe sind Erzählungen; Geschichten mit Anfang, Mitte und Ende, die wir zumindest uns selbst erzählen. Jeder Leser eines Buchs weiß, dass vergangene Leistungen und Ereignisse beim Lesen wieder gegenwärtig werden.

Aber der Skandal dieser Entmündigung beginnt auch hier – ähnlich wie beim Aussehen – viel früher. Falten, graue Haare, langsamere Bewegungen – das alles sind Zeichen, die wie eine Sprache gelesen und entziffert werden. Kosmetik- und Medienindustrie beschäftigen sich mit der ständigen Modernisierung dieses Signalsystems, das schon Kindern eingebleut wird.

Aber nicht nur Jüngere diskriminieren ältere Leute. Keiner, das hat die Berliner Altersstudie gezeigt, denkt schlechter über andere alte Leute als alte Leute. Getreu dem Satz, dass keiner des Unterdrückten größter Feind ist als andere Unterdrückte, sperren sich Ältere in ihre eigenen Vorurteile ein. Reden schlecht über andere Ältere und sind leider nur zu bereit zu Denunziation und Verrat.

Um zu prüfen, ob auch Ältere glauben, dass nur was schön ist auch gut ist, hat man Versuchspersonen, die älter als 65 Jahre waren, mit Fotos von attraktiven und weniger attraktiven jungen Frauen und Männern konfrontiert; das Ergebnis zeigte, dass attraktiven Personen selbst von Älteren mehr positive Charaktereigenschaften zugeschrieben wurden als unattraktiven: Junge attraktive Frauen kamen bei den älteren Versuchspersonen durchgängig besser weg als die Männer. »Man hätte gehofft«, schreiben die Autoren der Studie, »dass wenigstens ältere Menschen dagegen gefeit sind, zwischen äußerer Erscheinung und Charakter eines Menschen einen Zusammenhang zu ziehen. Alter hat zumindest in dieser Hinsicht keine Weisheit... Es ist dabei interessant, dass die meisten der Versuchsteilnehmer, als sie zunächst von ihrer Aufgabe in Kenntnis gesetzt wurden, lächelten und sagten, es würde keine leichte Sache sein, weil jedes Individuum gute Seiten habe. In der Praxis freilich urteilten die Älteren – auch wenn sie eine Ahnung davon hatten, dass man Menschen nicht nach ihrem Äußeren beurteilen soll – ganz genauso wie die jüngeren Bevölkerungsgruppen in früheren Tests.«

Anscheinend verhilft das Alter nicht dazu, Menschen gerechter zu beurteilen, also nicht mehr vorrangig nach ihrem Äußeren. Eine alternde Gesellschaft wird deshalb auch nicht, wie manche glauben, eine fast entmaterialisierte Form von Weisheit und geistiger Schönheit kultivieren. Im Gegenteil: Wir müssen uns darauf einstellen, dass die Widersprüche zwischen Sein und Schein zunehmen werden und es innerhalb der heute noch ästhetisch weitgehend homogenen Alterspopulationen zu großen Veränderungen kommen wird.

Warum wir uns sogar schuldig fühlen zu altern

Die nach dem Krieg geborenen Deutschen haben in der Zeit ihrer Jugend – in der alten Bundesrepublik – stets mit dem Gefühl ihrer Auslöschung gelebt. Wer damals auf der Welt war, erinnert sich noch heute an das Klima ständiger Selbstabschaffungsängste, Dasein war Schuld, unser pures Vorhandensein eine Last. Wir wissen, was es bedeutet, Teil eines Problems zu sein. Wir sind Teil der Überbevölkerungs- und Umweltvergiftungskatastrophe, wir sind verantwortlich für das Ozonloch oder das Waldsterben, wir vergeuden täglich Ressourcen. Wir fühlen uns schuldig an der Natur, oder genauer gesagt: an dem biologischen System, dem wir nun ausgerechnet auch unser Altern zu verdanken haben.

Jeder aus der Generation der »19« ist von dem Schuldgefühl durchdrungen, einen Frevel an der Natur zu begehen. Wir haben nicht nur das Gefühl, in eine Welt hineingeboren zu sein, deren ökologische Balance gestört ist; wir haben auch die Gewissheit, durch unsere bloße Existenz an der Vergiftung der Welt mitzuwirken. Eine Generation, die sich wie auf Zehenspitzen bewegt, um das Gleichgewicht nicht weiter zu beeinträchtigen, und dort, wo sie eines wiederhergestellt hat, erkennt, dass sie es in hunderttausend anderen Fällen ruinierte.

Was wir sind und wie wir gelernt haben, uns zu sehen – das sagt in unvergleichlich einfachen Worten der Evolutionsbiologe Niles Eldredge: Er vergleicht unser menschliches Wirken mit dem Einschlag der Meteoriten, die mehrfach das Leben auf der Erde vernichteten:

170

»Ohne Zweifel haben wir mit unserer Ozonzerstörung, unserem Treibhauseffekt und unseren großflächigen Rodungen zur landwirtschaftlichen Nutzung tatsächlich die Rolle der kreidezeitlichen Asteroiden übernommen. Wir arbeiten mit natürlichen Vorgängen der Umwelt zusammen, die bereits im Gange sind, und könnten durchaus den Vormarsch auf das nächste Massenaussterben beschleunigen… Die Art, um deren Erhalt es letztlich geht, ist unsere eigene.«[128]

Solche Sätze verwundern uns nicht. Wir finden sie kritisch und mutig. Als Konsequenz entwickeln wir ein modernes Schuldgefühl, dessen zentrale Anklagepunkte lauten: Man wird geboren, man lebt, atmet, fährt Auto und stirbt nicht früh genug.

Das Schuldgefühl gegenüber dem Leben – oder dem, was wir »Natur« nennen – ist die Erbsünde unserer Generation. Fast alle leiden wir täglich, stündlich unter ihr: nach jedem Einkauf, jeder Dusche, jeder der »Sünden«, die sich tief in unser Unterbewusstsein eingenistet haben, und die, so klein sie sein mögen, immer einen globalen Furcht-und-Zittern-Bezug haben – so muss es dem mittelalterlichen Menschen mit der Angst vor dem Fegefeuer ergangen sein.

Unsere Schuldlust ist deshalb paradox, weil wir – anders als die Generationen vor uns, (bislang jedenfalls) kein Unheil über die Welt gebracht haben: Wir Deutschen haben fast ein Lebensalter lang keine Kriege angezettelt, keine Menschen gejagt, wir haben selten aufgetrumpft und keine fremden Völker unterworfen. Wir haben, mit einem Wort, eigentlich alles besser gemacht als unsere Vorfahren.

Und doch spricht unser Bewusstsein eine ganze andere, uns zutiefst demoralisierende und schwächende Sprache. Als wären wir in einem zweiten Mittelalter statt in der Moderne, haben wir zeitlebens das Gefühl, dass alles, was wir zivilisatorisch tun, falsch und eigentlich schon ein Verbrechen ist, wenn nicht an uns, dann an unseren Kindern und unserer Umwelt:

essen (Gifte)
zeugen (Überbevölkerung)
waschen (Wasserverbrauch)
heizen (Energie, Atomenergie)
Autofahren (CO^2-Ausstoß)
fliegen (Treibhauseffekt)
reisen (Kulturkolonialismus)
kommunizieren (Elektrosmog)

Ganz gleich, wie »gesund« wir leben: Wir alle befürchten, dass wir für unser gelebtes Leben eines Tages die Quittung bekommen werden. Raucher, Trinker und Übergewichtige quälen sich mit dieser Angst schon lange. Aber mittlerweile gibt es in den westlichen europäischen Zivilisationen vermutlich keinen über 20-Jährigen mehr, der nicht von einem dauernden Schuldgefühl gegenüber seinem Körper geplagt würde.

Den jungen Hermann Hesse gruselte ein Schaubild in seinem streng-religiösen Elternhaus. Es zeigt eine breite, gemütliche Straße, an deren Seiten sich alle möglichen Verlockungen anboten, und einen engen, steinigen und steilen Hohlweg. Darunter stand: der breite Weg in die Hölle, der steinige Weg in den Himmel.

Das Unangenehme an solchen Weltbildern ist, dass sie Schuld und Strafe verteilen. Wir, die wir glauben, den Staub des pietistischen Pfarrhauses von unserer chromverkleideten Lebensform gefegt zu haben, werden am Ende unserer Tage genau dort wieder erwachen: bei Vater und Mutter Hesse, die, sei's als Arzt, sei's als Pflegerin, unsere Sünden zusammenrechnen werden.

172

Wie wird diese, in ihrem biologischen Selbstverständnis von der Geburt an zutiefst gebrochene und misstrauisch gewordene Generation eines Tages damit fertig werden, dass sie, die den neuen Kontinent der Ökologie entdeckt hatte, all den gesunden Jungen nicht nur eine materielle, soziale, psychische, sondern eine ökologische Last werden wird – ein Fehler der Natur, ein Rechenfehler in der Population, der potentiell »alle noch übrig gebliebenen Individuen zu lebenden Toten macht«?

Dass die Natur »rein« und das Natürliche gut sei, gehört zur Religion unserer Zeit. Die Natur selbst aber stößt das alte Lebewesen ab, es ist entweder gegen die Absichten der Natur, oder die Natur hat kein Interesse an seinem Vorhandensein. Deshalb greift sie wie bei einem Computerprogramm aktiv ein, löst Verschleiß und Abnutzung aus und tut alles, um das alternde Wesen von der Erde zu verbannen – oder, was auf das Gleiche hinausläuft, investiert nichts mehr in seinen Erhalt, weil sie über keine »Rücklagen« mehr für dieses Investment verfügt. Mit steigendem Alter werden wir vermutlich selbst zur gefährlichen Altlast, und unsere Lebensgeschichte liest sich als eine Geschichte von Ressourcenverschwendung und Kapitalvernichtung auf Kosten der jungen Generation – wir »verzehren« dann buchstäblich täglich die Substanz der Jüngeren. Und unsere täglichen Beschwerden, unsere runzligen Hände und grauen Haare und der merkwürdige Blick unserer Mitgeschöpfe zeigt uns, dass unsere große Freundin, die Natur, uns verlassen hat.

Erinnern Sie sich an die Demos gegen die Kernkraftwerke und Tschernobyl, das Waldsterben, die autofreien Sonntage, die Nachrichten über Aids und das Ozonloch, die Überbevölkerung, von der Ihnen bestimmt schon der Erdkundelehrer erzählte? Wir alle sind in unserer Phantasie hunderte Tode gestorben, aber eben doch nur fast. Die jungen Leute von 1923 wurden geprägt und haben die Welt geprägt: durch Inflation, zwei Weltkriege, durch Völkermord und die Atombombe. Das ist für die Dauer eines einzigen Lebenszyklus ein beispielloser Ausbruch an zerstörerischer Energie. Ehe die Generation ans Alter dachte, dachte sie an den Tod – die Frage war nicht, wie man würde, wenn man alt ist, sondern ob man es überhaupt dahin schafft.

Unsere Väter und Großväter, unsere Mütter und Großmütter waren die Letzten in einer bis in graue Vorzeit zurückreichenden Kette von Menschen, für die das Altern selbst schon ein Triumph war, ein Privileg, nämlich das Privileg nicht schon vorher gestorben, und das heißt in der Mehrzahl aller Fälle: nicht getötet worden zu sein. All die stolzen, violettgrau ondulierten Damen, die ihre Einzimmerwohnungen wie Fürstinnen bewohnten und die Cafés wie Hofbälle besuchten – sie strahlten diesen großen Stolz und diese enorme Würde eben deshalb aus, weil sie bereits über den Tod gesiegt hatten, ehe der Tod kam.

Noch die Alten des Jahres 2004 können sich anschauen und sich darüber freuen, dass sie noch einmal davongekommen sind: dass sie als Flakhelfer überlebt haben, dass sie nicht in den Hungerwintern der Jahre 1946/47 verendet oder von einer der überall herumliegenden Minen und Granaten in die Luft gejagt worden sind. Jeder von ihnen hat einen Bruder oder eine Schwester, einen Klassenkameraden, einen Freund, die es nicht geschafft haben, also gleichsam ein anderes, abgespaltenes Ich, das tot ist. Vielleicht kein ewiger Trost, aber ein sehr wirkungsvoller und die Umsetzung des Spruchs der Navajo-Indianer in die Welt der Moderne: Ich habe es damals geschafft, ich schaffe es wieder. Die Gedächtnisforscher nennen dergleichen »instrumentelle Erinnerungen«.

Wir aber sind eine Generation, die etwas lernen muss, was

174

keine vor ihr lernen musste: das Alter nicht an sich schon als Triumph des Überlebthabens zu begreifen, als Auszeichnung, als Privileg gegenüber all den Toten, die wir zurückgelassen haben.

Aber spätere Generationen werden in unserem Tun und Lassen vielleicht etwas ablesen, das uns heute noch nicht bewusst geworden ist. Denn es ist richtig: Keine Generation war potentiell gefährdeter als die, die nach Hiroshima denken und rechnen und schreiben lernte.

Von Orwell bis Huxley, dem »Club of Rome« und den Grenzen des Wachstums, globalen Vergiftungen und hochgerechneten Katastrophen – wir, die wir in der Phantasie den Weltuntergang in Permanenz erlebten, werden zu den langlebigsten Generationen aller Zeiten gehören. Es wird geradezu komisch wirken, dass diejenigen, die glaubten, jederzeit abberufen zu werden, einfach nicht abtreten wollen. Die großen endgültigen Katastrophen, die sie sich ausmalten, waren Ereignisse in ihren Köpfen. Man kann sich darüber amüsieren, und unsere Kinder und Kindeskinder werden es gewiss tun. Aber andererseits hat die große apokalyptische Phantasie jedenfalls nicht zu der großen Apokalypse geführt. Wir haben, anders als die Generationen vor uns, nicht alles getan, was wir hätten tun können. Die Phantasie und die Vernunft dieser Generation reichte aus, es bislang nicht zum Äußersten zu treiben, eine Zurückhaltung, die angesichts der ganz anders gearteten Lektion der ersten Hälfte des 20. Jahrhunderts keineswegs selbstverständlich ist.

Ein Kampf um den Kopf

Im Jahre 2000 kam es während der amerikanischen Präsidentschaftswahlen in Florida – einem der Staaten mit der höchsten Alterspopulation – zu Fehlern bei der elektronischen Stimmabgabe. In etlichen Fernsehsendungen und Zeitschriften wurden die Schuldigen dieses Debakels gezeigt: ältere Wähler aus Palm Beach County, die aus Versehen den falschen Kandidaten gewählt hatten. Politologen erklärten das technische Debakel damit, dass die Alten das System nicht verstanden hätten; ein Fernsehkommentator erklärte, die älteren Wähler seien nicht mehr so klar im Kopf wie früher (»not as sharp as they used to be«), und die Nachrichten zeigten einen Demonstranten, der mit einem einfachen Slogan protestierte: »Stupid people shouldn't vote« – Dumme Leute sollten nicht wählen dürfen.[129]

Die extremistischste Unterstellung, die den älter werdenden Menschen in unserer Gesellschaft trifft, sind die Zweifel an seinem Gehirn. Sie können sportlich sein und gute Blutwerte haben, Berge besteigen und Weltmeere durchkreuzen: der Zweifel an ihrem Gehirn sitzt wie Gift in ihrem Körper. Schon der 35-Jährige gilt vielen Betrieben als »festgelegt«; später bemängelt man fehlende Ideen und Inspirationen. Die nächsten Jahrzehnte unseres Lebens werden wir in einer Atmosphäre verbringen, in der deutlicher oder undeutlicher Kopf und Hirn zum Thema werden. Es wird unzählige Quiz- und Wissenssendungen geben, Neurobics werden auf Computer angeboten, geistige Ausfallserscheinungen werden panisch registriert. Im Kern wird ein großer Selbstzweifel in unsere Gesellschaft einziehen, der Zweifel nämlich, ob man sich selbst noch trauen kann.

Ein Komplott gegen den Rassismus des Alterns beginnt also im Kopf. Die Gesellschaft wird nur solche Ideologien aufgeben, die wir selbst in unseren Köpfen ausgestrichen haben: Eliminieren Sie in Ihrem Kopf den Gedanken, dass das Altern einzig ein sich steigernder Verfallsprozess ist. Bauen Sie Ihre Abwehr, Ihre Wut und Aggressivität gegen Stereotypen auf, die Sie mürbe machen. Selbstamputationen sind – wie in allen Fällen rassistischer Stereotypen – die Folge, und sie zerstören den alternden Menschen in atemberaubender Vollständigkeit.

Es geht aber buchstäblich um Ihren Kopf. Genauer gesagt um das Gehirn. Ihr Bewusstsein und Ihre Gehirnstruktur sind die Angriffsziele des Altersrassismus. Es müssen Abwehrstrategien, psychische und körperliche, gegen die Gehirnwäsche aufgebaut werden. Orwells Vision der Gehirnmanipulation in seinem Roman *1984* ist keine territoriale und keine utopische Vision, sondern eine lebenszeitliche. Wer jenseits der 40 ist, wird dieser Operation unterzogen; nachdem ihn vorher schon Fernsehen, Werbung und biologische Konditionierung mürbe gemacht haben. Machen Sie sich bewusst, dass die große Demütigung in Orwells Roman, jene Stelle, wo der Held erklären muss, 2 plus 2 ergebe 5, keine Metapher ist.

Die amerikanische Akademie der Wissenschaften hat in einer ihrer grundlegenden Studien über die Folgen der Alterung für das Gehirn des Menschen bereits im Jahr 1992 Beweise dafür geliefert, wie die *Ideen* über das Altern das Altern selbst verändern. Viele von uns erwarten beim Älterwerden wie selbstverständlich ein Nachlassen der Konzentrations- und Erinnerungsleistung. Diese Erwartung, das haben Studien belegt, »führt selber zu schlechterem Erinnerungsvermögen, und zwar weil sie geringere Anstrengungen und frühere Resignation auslösen, den Gebrauch adaptiver Strategien als unsinnig erscheinen lassen, weil sie dazu führen, dass man Herausforderungen meidet und ärztliche Hilfe nicht in Anspruch nimmt«.[130] Denken Sie bei solchen Sätzen nicht an das hohe Alter. Denken Sie an die nächsten Jahrzehnte, die Ihnen bevorstehen. 95 Prozent der Diskriminierungen, die unser Selbstbewusstsein erleidet, haben damit zu tun, dass man dem Menschen Abbau an Leistungsfähigkeit unterstellt. Die Ideologie der »has beens«, der Ausgebrannten, vor allem in kreativen Berufen, ist längst in alle anderen gesellschaftlichen Bereiche eingewandert. Über Jahre hinweg ist die Vorstellung des geistigen Abbaus nichts anderes als ein Konstrukt aus Angst und Vorurteil.

Es geht hier nicht um eine Idylle des Alters. Niemand sagt, dass sich Älterwerden ohne Leistungsverlust, ohne Abbau, ohne eine neue Langsamkeit vollzieht, niemand sagt, dass es leicht ist. Jeder findet hier seinen Weg und sein Schicksal. Etwas ganz anderes aber ist es, wenn eine Gesellschaft sich zum Hüter und Zensor des individuellen Bewusstseins macht. Wir akzeptieren, so schreibt der Gehirnforscher Shinobu Kitayama, dass jeder Mensch seinen eigenen Weg zur Reife und Erwachsenheit findet; wir akzeptieren wie selbstverständlich, dass die biologische Determination, etwa bei dem Pubertierenden, nur *ein* Aspekt unter vielen ist, und wir wissen alle, dass der Mensch aus der biologischen Struktur in eine kulturelle Struktur hineinwächst.[131] Wir sollten deshalb auch die Linearität des Verfalls, den wir bei anderen und bei uns selbst unterstellen, als das erkennen, was er ist: eine Konstruktion, die mit der Wirklichkeit so viel zu tun hat wie die Teletubbies mit der sozialen Beziehung zwischen Menschen.

Beenden Sie die Gehirnwäsche, und zwar im eigenen Interesse: Ihr künftiges Selbst steht heute schon auf dem Spiel, und die Befürchtungen, die Sie heute hegen, können zu Ursachen enormer Selbstverwundungen werden. Der Gehirnforscher Wolf Singer hat mit Blick auf die Erziehung von Kindern und jungen Menschen ein faszinierendes Bild geprägt: Erziehung sei der wirkungsvollste mikrochirurgische Eingriff, der sich denken lasse. Die Gehirnforschung kann nachweisen, dass ein böses oder gutes Wort, ein Schlag oder eine Liebkosung im Hirn des Kindes ganze neuronale Systeme verändern, eine Architektur für immer zerstören oder eine neue fabrizieren. Auch wenn das Gehirn eines Erwachsenen nicht mehr die Plastizität des Gehirns eines Kindes hat, so lassen sich auch hier durch Lernen oder Autosuggestion, Gedächtnistraining und ständigen Gebrauch des Denkapparats offenbar beträchtliche positive Veränderungen nachweisen.

Altern ist ein degenerativer Prozess. Paul Baltes, der Doyen unter den Altersforschern, bemüht sich seit Jahren unermüdlich um ein realistisches Bild des Alterns. In Untersuchungen zur geistigen Leistungsfähigkeit »hatte sich gezeigt, dass in der Spanne zwischen 20 und 70 Jahren nur ein Teil dieser Fähigkeiten (beispielsweise die Geschwindigkeit) nachlässt, der Wortschatz aber im Allgemeinen gleich bleibt oder sogar noch wächst. Jenseits von 70 nehmen nun, wie die Berliner Altersstudie ergab, alle fünf Fähigkeiten ab. Trotz dieses allgemeinen und nicht unbeträchtlichen Verlusts variiert die intellektuelle Leistungsfähigkeit bis ins hohe Alter stark: Ein 15-jähriger Teilnehmer beispielsweise lag darin deutlich über dem Mittelwert der 70-Jährigen.«[132]

Studien von Baltes und anderen haben eine Vielzahl dieser Leistungseinbußen überprüft, ausgemessen und statistisch erfasst. So wissen wir, dass es sehr alten Menschen zunehmend schwerer fällt, zwischen wichtigen und unwichtigen Informationen zu unterscheiden, dass der Rückgang der Sensorik immer stärkere kompensatorische Energien des Gehirns erfordert, und dass die Leistungsreserven immer mehr abnehmen. Das alles sind Prozesse, die durch Demenz im hohen Alter und Alzheimer – insbesondere jenseits der 90 Jahre – noch verstärkt werden. Die Stabilität im so genannten »vierten Alter«, dem sehr hohen Alter, ist ein ständig erkämpftes mühsames Gleichgewicht, das auch durch bewusste Vereinfachung eines komplexen Alltags erreicht werden kann – wobei auch hier sich womöglich Grenzen verschieben und zu dem Zeitpunkt, da die Alterswelle den Höhepunkt erreicht, von 2020 an, in radikal anderem Licht erscheinen können.[133]

Dies alles aber sind höchst individuelle und individualisierte Entwicklungen. Selbst wenn sie eintreten, ist unklar, wie der Mensch auf das Nachlassen bestimmter Fähigkeiten reagiert.

Wir müssen, wie in allen anderen Bereichen auch, die Normen neu definieren. Wenn Sie altern, werden Sie nicht eines Tages ausgetauscht, wie es Ihnen die Gesellschaft suggeriert. Sie suggeriert es Ihnen deshalb, weil Altern über Jahrhunderttausende immer aus der Perspektive der Mehrheit, also der Jungen wahrgenommen wurde.

Für uns Heutige ändert sich mit den Mehrheitsverhältnissen auch die Perspektive auf das Alter. Stereotyp für unsere Gesellschaft und Institutionen, für unsere Politik und unser Sozialsystem, für unsere Familien und unser Ich kann nicht die Ruine sein, als die die Evolution und hunderttausendjährige Geschichte des Homo sapiens unserem Bewusstsein den menschlichen Geist im Alter eingezeichnet haben. Die Norm sieht anders aus, und zwar selbst schon für eine Alterskohorte, die im ersten Viertel des 20. Jahrhunderts geboren wurde: Zwar wurde bei den Testpersonen eine Verminderung des

»*Niveaus* der Erinnerungsleistung« festgestellt, aber nicht der Erinnerungsfähigkeit selbst.

Wer lange in einer Stadt lebt – also in ihr älter geworden ist –, kommt schneller ans Ziel. Er kennt die Abkürzungen und kann selbst die jungen Hunde schlagen. Genau das geschieht durch Erfahrungen. Gewiss: Die Wahrnehmungsgeschwindigkeiten verlangsamen sich im hohen Alter; und natürlich gibt es als eigenes Krankheitsprofil Demenzerkrankungen. Aber allen, die Ihnen anderes einreden wollen – und dazu gehören vor allem Sie selbst –, können Sie den Befund entgegenhalten, dass die Lernfähigkeit bis ins hohe Alter nicht nachlässt.[134] Der »Erhalt der Lernfähigkeit«, so schreiben die Wissenschaftler mit wissenschaftlicher Vorsicht, »deutet darauf hin, dass bei Abwesenheit einer dementiellen Erkrankung die Fähigkeit zum sinnhaften Austausch neuer Informationen als Voraussetzung geistiger Teilnahme am Geschehen in der Außenwelt bis ins höchste Lebensalter erhalten bleibt.« Der Jugendwahn kann sich noch nicht einmal auf die Geschwindigkeit berufen. Der Direktor des Max-Planck-Instituts für Gehirnforschung in Frankfurt, Wolf Singer, hat gemessen, dass die Gehirnströme im Alter langsamer werden. Aber er kann zeigen, dass dafür etwas anderes geschieht: In ihnen verbergen sich alle Tricks des Älteren, denn mit ihrer Hilfe kann er – weil er gewissermaßen die Abkürzungen kennt – die Geschwindigkeit des Jüngeren einholen.

Diese naturwissenschaftliche Rehabilitierung von Erfahrung ist in unserer Gesellschaft noch nicht angekommen. Sie wird eine unserer wertvollsten Ressourcen in der Zukunft werden. So, wie im Gehirn faktische Schäden schon allein durch schlechte Worte entstehen können, kann es zu Heilungen kommen, durch die Anwendung des richtigen Wissens über sich selbst.

Um es klar zu sagen: Hier geht es nicht darum, einer Lebensphase, in die wir vermutlich alle eintreten werden, den Schrecken durch Statistik zu nehmen. Es geht um eine fundamentale Korrektur: Wir hegen, selbst nach heutigem Stand der Erkenntnisse, völlig falsche *normative Vorstellungen* über das Alter; uns treiben Rollen- und Spiegelbilder, unterstützt von Fernsehen und Werbung, in eine ganz und gar anachronistische, hässliche, zweidimensionale Karikatur unseres Selbstbewusstseins hinein. Es ist die Vertreibung in ein Exil.

Ratschläge des alten Herzens

Die Erfahrungen sind nichts Abstraktes. Der alternde Mensch ist in der Natur dafür vorgesehen, jede Art von Erfahrungen weiterzugeben – nur deshalb konnten Frauen den Eintritt der Reproduktionsunfähigkeit noch ein paar Jahre überleben. Sie mussten nämlich die gewonnenen Jahre dazu nutzen, ihren Kindern Überlebenstechniken beizubringen. In Überlebens- und Fitnessbüchern erfahren Sie, warum wir bei Angst und Bedrohung noch immer so reagieren, als sei der Säbelzahntiger hinter uns her. Sie müssen sich, so die Botschaft der Sportmedizin, auf die Bedingungen der Steinzeit einlassen, um Ihren Körper gesund zu erhalten, auch wenn das bedeutet, jeden Morgen bei kontrolliertem Puls 60 Minuten im Kreis herumzulaufen.

Merkwürdig, dass dieses sehr wirkungsvolle Prinzip für die mentale Seite unserer Evolution so selten angewendet wurde. Der Körper reagiert auf Stress mit Adrenalin, wie reagiert der Geist auf eine Bedrohung, die er kennt, die aber noch nicht eingetreten ist?

Wir haben darauf in den vorhergehenden Abschnitten die Probe gemacht. Wir haben, wie das bei Mobilmachungen so üblich ist, sehr laut begonnen. Ich habe Ihnen berechtigte Angst vor etwas gemacht, was die Statistik als unausweichliches Schicksal schildert, was die Politik kennt, ohne etwas zu tun, und worüber die Medien tagtäglich berichten.

Wir haben in den vorangegangenen Kapiteln unsere Lautsprecher auf alle verfügbaren Plätze und Straßen gestellt, aber nicht damit Sie taub werden, sondern um in Ihnen das merkwürdige Wesen aufzuwecken, mit dem Sie oft, ohne es zu merken, Ihr Lebensglück verhandeln. Vielleicht hören Sie die Stimme erst jetzt, wo ich Sie darauf hinweise. Aber glauben Sie mir, sie flüstert Ihnen schon seit einiger Zeit ins Ohr, diese beruhigende Großvater- oder Großmutterstimme, und sagt Sachen wie: »Es wird nicht alles so heiß gegessen, wie es gekocht wird« oder »Da fließt noch viel Wasser die Spree hinunter« oder »Kommt Zeit, kommt Rat«, »Es ist noch lange hin« und schließlich: »Das Leben geht weiter«.

Diese Stimme hat nichts anderes im Sinn als Sabotage. Sie will die Entschlossenheit schwächen, das Ziel verwischen und pocht dabei auf eine Erfahrung, die Sie nur glauben können. Sie ist in gewisser Weise das kulturelle Gegengift zum Adrenalin. Dafür gab es die Institution des Alten. Der Alte sagt: Ich bin alt geworden, weil viel Wasser die Spree hinuntergeflossen ist und so weiter.

Wissen Sie noch, wie die Zwerge in Tolkiens *Hobbit* an die Tür klopfen und ein für alle Mal die Geschichte behaglicher Beschaulichkeit, das leise Ticken langsamen, ruhigen und eigentlich ewigen Alterns (der Hobbit ist über 50!) gegen das Poltern von Gefahr, Angst und Tod eintauschen?

Sie haben das, was dort geschieht, auch schon erlebt. Erinnern Sie sich noch an den Sonntagmorgen zu Hause? Erinnern Sie sich noch, wie bei Kaffee und frischen Schrippen Vater oder Mutter, Großvater oder Großmutter vom Krieg erzählten? Und zwar meistens dann, wenn Sie, wie das damals hieß, Ihren Teller nicht leer essen wollten? Generationen von Kindern wurden dann mit dem Satz: »Du wirst dich noch danach zurücksehnen« getadelt (in Ermangelung selbst erlebter Kriege zunehmend mit dem Hinweis auf Hungersnöte in Afrika).

Vielleicht haben auch Sie sich schon mal gefragt, wieso die Kriegs- und Katastrophenerinnerungen der Alten so eng mit der Nahrungsaufnahme der Kinder zusammenhängen – gerade so, als mache Ihre demonstrative Sattheit die Alten erst so richtig hungrig. Tatsächlich wurden Sie damals Objekt einer kulturellen Vererbung: Ihnen wurde in diesem Moment, ohne dass es der Erzähler selbst wusste, ein fundamentaler biologischer Replikator weitergegeben. Der lautet: Es gibt Notzeiten, sorge vor, iss dich satt, werde fett, speichere Kalorien.

Unser Körper, das weiß jeder, der schon Diäten hinter sich hat, ist ein Relikt aus der Steinzeit; er ist auf Zeiten der Entbehrung programmiert und reduziert seinen Grundumsatz, wenn es die Umstände erfordern. Aber auch unsere Familiengeschichten, das heißt: die wesentlichen Botschaften, die wir an unsere Kinder und Verwandten weitergeben, stammen offenbar zu einem guten Teil aus der Steinzeit. Der Lyriker Charles Simic erinnert sich an äußerst strenge, von den Familienhierarchien des Balkans geprägte Großeltern: »›Wenn du alt genug bist, wirst du schon sehen.‹ Dies sagt einem immer irgendjemand, wenn man jung ist. Als es noch keine Bankautomaten gab und man Großmütter um Geld angehen musste, hatte man bei diesen still zu sitzen und sich ihre hart verdienten Weisheiten anzuhören. Alles würde ein schlimmes Ende nehmen, die jungen Leute würden mit jedem Tag unverschämter, in ihrer Jugend habe man seinen Vater noch mit ›Sir‹ angeredet und junge Mädchen seien errötet, wenn von Sex die Rede war. Ich saß unruhig auf der Stuhlkante, bestätigte das Lamento meiner Großmutter voller Inbrunst und wartete darauf, dass sie ihre Geldbörse öffnen und mir ein paar abgezählte Münzen zustecken würde.«[135]

Großvater und Großmutter sind Versorger durch Geschichten; und dass ihr Rat überhaupt gehört wird, liegt daran, dass sie ja offensichtlich vorgesorgt haben, so dass sie aus dem geringen Überfluss den Enkeln abgeben können. Es existieren unzählige identische Kopien dieser Geschichte, und wenn Sie Ihre Freunde fragen, wird sich jeder an etwas ganz Ähnliches erinnern, wenn er an sein heimlich weggeworfenes Pausenbrot zurückdenkt.

Simics entnervtes Geständnis: »Wie ist meine arme Großmutter mir auf die Nerven gegangen!«, gipfelt in dem Bekenntnis: »Die traurige Wahrheit ist, dass sie Recht hatte.« Denn das schlechthin Unvergleichliche der heutigen Situation liegt darin, dass alle Großmütter und Großväter bis weit in die 90er Jahre des letzten Jahrhunderts (und sogar, wenn auch immer seltener, bis heute) tatsächlich Botschafter eines Überlebenskampfes waren.

Buchstäblich keine Generation vor 1945 hatte je eine intakte, von äußeren kollektiven Katastrophen verschonte Familiengeschichte. Wir, geboren seit 1950, die wir aus dem Schoß der Sicherheit stammen, gefüttert und genährt wie niemals eine Generation zuvor, unterscheiden uns von ihnen wie Zootiere von den Tieren der Wildnis. Alle diese rührenden Omas und Opas, die wir um uns sehen, sind in Wahrheit Überlebenskampfmaschinen, und sie alle haben bereits ihren großen Sieg errungen, ehe sie alt geworden waren: gegen Kindersterblichkeit und Seuchen, Krieg und Völkermord, Hunger und Verbrechen.

Fahren Sie einmal mit dem Finger Ihren Familienstammbaum nach, und Sie werden feststellen, wie schnell Sie, ein Kind des 21. Jahrhunderts, in solchen Zeiten von Katastrophen landen, meist schon bei den Großeltern, die ja ihrerseits als Kinder massiv geprägt wurden. Selbst wenn Sie die zwei Weltkriege, Geldentwertung, Revolutionen abziehen, endet ihre Fahrt mit dem Zeigefinger im Jahre 1850, als noch 75

Prozent der Bevölkerung Deutschlands damit rechnen mussten, vor dem 65. Lebensjahr zu sterben! Zwischen 1850 und 1950 stieg die Lebenserwartung, aber diese positive Erfahrung wurde gewissermaßen durch zwei Weltkriege kassiert: Die Europäer erlebten auf noch nie gekannte Weise den vorzeitigen, unnatürlichen Tod durch Krieg, Hunger und Völkermord. Im Ergebnis heißt das für uns und unsere Familiengeschichten: Gegen eine Prägung von hunderttausenden von Jahren durch unnatürlichen, vorzeitigen Tod, in dem das Altern immer schon Triumph gegen den Tod war, steht jetzt erst die ganz unnatürliche Erfahrung des natürlichen Alterns, die gerade einmal 50 Jahre währt.

Leben war Krieg, und Leben war immer Überleben. Die Alten waren immer diejenigen, die ein Privileg hatten: nicht wie die anderen Generationsgenossen früh gestorben zu sein. Daraus erwuchs eine tiefe Befriedigung, die noch unserer Generation in die Kinderstube schien: jener zarte Triumph und der bis in die Kirchengesangbücher dokumentierte grandiose Trost, der darin lag, dass man, wenn man jetzt auch bald sterben muss, doch viel früher hätte sterben können.

Wer im hohen Alter starb, hat die Welt nicht nur kennen gelernt – er wusste alles, was es über die Welt und das Leben zu wissen gab. Das Gefühl, dass es nichts Neues unter der Sonne gibt und man deshalb auch nichts verpasst, wenn man stirbt, oder umgekehrt: dass man, wenn man Glück hat, gerade so lange lebt, um die Welt ganz in sich aufzunehmen, verblasste erst im letzten Jahrhundert. Max Weber sagt in *Wissenschaft als Beruf*, also kurz nach dem Ersten Weltkrieg, dass der moderne Mensch nicht mehr wie Abraham »alt und lebenssatt« sterben könne, weil es in seinem Leben immer Neues gibt, das er noch kennen lernen möchte. Wir können den Umkreis des Erfahrbaren, anders als Erwachsene lange zurückliegender

Epochen, nicht mehr ausschreiten. Darum hat für uns alle der Tod keinen kulturellen Sinn.

Die Jungen fürchteten die magische Überlebenskraft, die in diesen Alten steckte. Sie trauten ihnen zu, noch im höchsten Alter so donnernd abzutreten, dass die Lebensgrundlagen aller erschüttert werden. Der polnische Schriftsteller Andzej Stasiuk erinnert sich an einen seiner »Nachbarn, einen Bauern, einen Hirten, der im Sterben lag. Als er sich seines eigenen Todes schon sicher war, sagte er zu seiner Frau: ›Treib die Schafe in den Wald, die Wölfe sollen sie fressen.‹ Da war keine Metapher, keine Rhetorik, denn mit diesen Wölfen hatte er sein Leben lang zu tun gehabt. Aber zugleich enthielten seine Worte einen Funken tiefer Intuition, die besagt, dass wir dem Tod so einsam und nackt gegenübertreten sollen wie am Tage unserer Geburt. Früher einmal von alten Menschen weitergegeben, ist diese Lehre in der modernen Kultur vergessen worden.«

Die Gesellschaft, in die wir jetzt hineinwachsen, wird den Tod nicht mehr als von außen hereinbrechendes, unkalkulierbares Ereignis erleben, sondern als natürliches Ende des Lebensprozesses in unnatürlich hohen Jahren; sie wird im bloßen Altsein und Altwerden keinen Triumph, keinen Sieg über die Zeitlichkeit und erst recht kein Privileg ablesen. Damit sind wir allein. Es gibt für das, was wir leben werden, kein Rollenvorbild. Die Ratschläge der Alten waren die Rechtfertigung, dass die Gruppe der Jungen sie überhaupt am Leben ließ: Sie wussten vom Wetter, den Böden, den Tieren und später von den Launen der Herrscher und den Strategien der Beherrschten, und zuletzt, in den Jahrzehnten der alten Bundesrepublik, hörte zwar niemand mehr auf die Ratschläge, aber die Ratschläge hatten sich wie bei Simics Großmutter in harte Währung verwandelt – immerhin das erfreulichste Ergebnis von Vorsorge und Lebensgeschick.

Damit ist es vorbei: Weil die vielen Alten verzehren, was wenige Junge erwirtschaften, weil sie also von den lebenden Jungen als Kannibalen erlebt werden, klingt die biologische codierte Botschaft »Vorsorgen« wie Hohn. Alt werden ist nur noch das normale Resultat von sehr langer Lebenserwartung. Doch wir sollten nicht so schnell aufgeben und uns gleichsam vorauseilend als die Zukunftslast sehen, als die uns heute schon die Statistik führt. Diejenigen, die jetzt in die Zukunft hineinaltern, haben einen anderen Triumph, einen, den sie ihren Köpfen und ihrer Phantasie verdanken. Die Apokalypse, die täglich drohte, fand nicht statt. Anders als die Generation vor uns, können wir als Alternde auf etwas stolz sein, das wir *nicht* gemacht haben.

Teil 4
Die neue Selbstdefinition

Sich jung zu fühlen ist alles andere als Selbstbetrug – auch wenn die Mitstreiter im Felde sexueller Auslese dies anders sehen. Dass jemand »nicht alt werden könne«, ist ein Vorwurf, der ab dem 40. Lebensjahr erhoben wird. Er ist, wie wir gesehen haben, fatal, ich würde sagen: mörderisch. Nur wir selbst definieren, was unser Altern ist. Das freilich ist eine Unternehmung, die nur Aussicht auf Erfolg hat, wenn die Masse der Passagiere auf dem Schiff der Evolution das gleiche Interesse haben. Bleibt die Lebenserwartung, wie sie ist, oder steigt sie sogar noch weiter an, dann werden tatsächlich die Heutigen und die Kommenden von der gleichen Frage beseelt werden: wie sie die 50 Jahre seelisch leben können, die in ihrem natürlichen Überlebensprogramm niemals vorhergesehen waren. Die Frage ist, wie wir den Steinzeitmenschen in uns an eine fast verfünffachte Lebenserwartung gewöhnen können.

Tatsächlich hat der Mensch Techniken entwickelt, der Evolution Beine zu machen, oder zutreffender gesagt: Räder unterzuschnallen. Weil dem Menschen die Evolution zu langsam ging, entwickelte er die Kultur; weil er sich von den Alten und ihrem Wissen nicht abhängig machen wollte, entwickelte er vor 7000 Jahren die Schrift. Damit begann die große Drift zwischen biologischer Prägung und Kultur. Kultur ist Evolution, die wir steuern. Unsere Muskeln sind zu schwach, wir entwickeln das Rad, unser Gehirn zu langsam, wir entwickeln den Computer, unsere Seelen zu einsam, wir entwickeln die

Künste. Kultur produziert ein freundschaftsfähiges Selbstbild. Und sie schafft Vorbilder: Ein Blick auf Menschen, die wirklich alt geworden sind, zeigt, dass die soziale Angst, sich mit einem jungen Selbstbild lächerlich zu machen, eine Amputation bedeutet und den Menschen in Erstarrung und Angst führt.

Der Einzelne, nicht die Gesellschaft, muss selbst wählen, was ihm die zusätzlichen Jahre bedeuten. Sie sagen oder denken: »Ich fühle mich viel jünger, als ich bin.« Man sagt dergleichen mit 30, 40, 50 und auch noch mit 90. Dieser Satz, das zeigt nicht nur die Ohio-Studie, sondern auch die Berliner Altersstudie, schafft überhaupt erst die Wirklichkeit, die er ausspricht. »Sich jung fühlen« ist kein Selbstbetrug. Es ist eine Aussage, die schafft, wovon sie spricht.[136] Deshalb wohl wird sie von Jüngeren so gerne mit höhnischem Grinsen quittiert. Der Wille, jung zu sein, ist der Wille zum Leben.

Jacob Grimm hat uns nicht nur mit den kannibalischen, Kinder-zu-Tieren-verzaubernden und sie auffressenden knusperhexenden Alten im Märchen versorgt, er hat selbst eine Schrift verfasst, die er *Über das Alter* nannte. Darin zeigt er, wie man in einer Gesellschaft, die keine Wegwerfgesellschaft war, das Alter entzifferte: »Unter unsern Vorfahren hergebracht war eine zusagende, progressive Berechnung des Menschenalters, wie sie ein Hausvater den ihn zunächst umgebenden Gegenständen entnehmen konnte: Ein Zaun währt drei Jahre, ein Hund erreicht drei Zaunes alter, ein ros drei hundes alter, ein mann drei rosses alter; hier stehen wir wieder am Ziel von einundachtzig jahren.«[137]

Uns umgibt nichts mehr, an dem wir das eigene Altern ablesen könnten. Unser Kalender ist das Gesicht. Bereiten Sie sich darauf vor, dass der Unterschied zwischen dem, was Sie im Spiegel sehen, und dem, was Sie sind, bei gleichzeitigem

Zurückwünschen auf einen früheren Lebenszeitpunkt Sie noch als Ururgroßvater oder -mutter beseelt.

Die Teilnehmer der Berliner Altersstudie, alte Frauen und Männer zwischen 70 und 100, haben übereinstimmend angegeben, sich um zwölf Jahre jünger als ihr wirkliches Alter zu fühlen, und sich durchschnittlich neuneinhalb Jahre jünger aussehend eingestuft. Im Mittel nahmen diese Altersunterschätzungen mit dem Alter etwas zu: 90-Jährige und Ältere fühlten sich 16 Jahre jünger, schätzten ihr Aussehen als 14 Jahre jünger ein und wollten ungefähr 60 Jahre alt sein. 22 Prozent der 70- bis 79-Jährigen und der 90- bis 94-Jährigen äußersten den Wunsch, das nächste Lebensjahrzehnt zu erreichen (das heißt ihren 80. beziehungsweise 100. Geburtstag).

Nicht nur jünger sein zu *wollen*, sondern sich faktisch jünger zu *fühlen* – und mithin jünger zu *sein* –, ist offenbar eine Conditio humana, eine Grundtatsache des menschlichen Lebens. Das heißt aber auch: Uns wird später keineswegs alles egal sein. Dieser narkotisierende Gedanke jüngerer Menschen ist eine tragische Irreführung, eine vorauseilende Selbstaufgabe. Rechnen Sie vor allem nicht damit, dass Sie dann behaglich in der Vergangenheit leben werden und vom Leben nichts anderes mehr erwarten als den Tod. Ihnen wird nichts egal sein, und am wenigsten, dass Sie in Ihrem Vor-Leben so falsche Vorstellungen von Ihrem Alter hatten. Die persönliche Zufriedenheit alter Menschen, das belegen alle relevanten Studien, ist viel höher als allgemein angenommen.[138]

Stellen Sie sich auch keinen nebligen, grauen und relativ bewusstlosen Zustand vor, wenn Sie an das eigene Alter denken, eine Art zweite Naivität, die Ihnen den Tod als wunderbaren Ausweg zeigt. Es kann so etwas geben, die Regel ist es nicht. Weniger als ein Zehntel aller Befragten in der Berliner Altersstudie – die auf dem Höhepunkt des funktionierenden Generationenvertrags erarbeitet wurde – beschäftigte sich intensiv mit Tod und Sterben, und die Befragungen ergaben, dass das Vorurteil von der »sozialen Isolation« der heutigen Alten von den Betroffenen selbst abgewiesen wird und jedenfalls bis ins hohe Alter eine sehr viel geringere Rolle spielt als in unserem jungen Vorstellungshaushalt.

Das heißt natürlich nicht, dass alle Hochbetagten gesund sind. Viele leiden unter starken Beeinträchtigungen des Bewegungsapparates und überhaupt der Sinneswahrnehmungen. Vom 80. Lebensjahr an nimmt überdies die Gefahr, an Alzheimer zu erkranken, drastisch zu. Doch die Berliner Altersstudie hat viele Belege dafür erbracht, dass das Alter eben nicht als die soziale Hölle erlebt wird, die sich die Jüngeren ausmalen. Die meisten alten Menschen scheinen mit ihrem Leben zufrieden zu sein. Zwei Drittel fühlen sich gesund, fast zwei Drittel fühlen sich gesünder als ihre Altersgenossen, fast ein Fünftel mindestens ebenso gesund wie Gleichaltrige.

Je älter Menschen sind, desto gesünder fühlen sie sich im Vergleich zu ihren Altersgenossen. Auch darin liegt eine perspektivische Täuschung, aber offenbar eine, die das Leben erleichtert. Mehr als zwei Drittel meinen, dass sie ihr Leben selbst bestimmen können, und fühlen sich selbstständig und unabhängig. Mehr als neun von zehn alten Menschen haben noch ausgeprägte Lebensziele, und nur ein Drittel ist vorwiegend vergangenheitsorientiert.[139] Während man sich gewöhnlich das Alter wie eine Art Nachwort zum Leben vorstellt, fühlen sich die Alten tatsächlich so, als läsen sie eine wirklich aufregende Geschichte in einem *people-magazine*. Sie sind mittendrin, und viel liegt vor ihnen.

Nach uns

Fragebogen
Sind Sie sicher, dass Sie die Erhaltung des Menschenge-
schlechts, wenn Sie und alle Ihre Bekannten nicht mehr sind,
wirklich interessiert?
Warum? Stichworte genügen.
Wie viele Kinder von Ihnen sind nicht zur Welt gekommen
durch Ihren Willen?

Beantworten Sie die Frage, die der Schweizer Schriftsteller
Max Frisch schon 1966 stellte. Der Glaubenssatz, dass wir
»an unsere Kinder denken müssen«, hat in den letzten 100 Jahren keine besonders ermutigenden Ergebnisse erbracht, wie
viel weniger angesichts einer immer stärker wachsenden Zahl
von Kinderlosen?

Es hilft nichts, Sie müssen heute handeln. Wir müssen politisch eingreifen und unsere Zuflucht für die Zukunft bauen,
ein Auftrag, der bis zur altersgerechten Architektur unserer
Städte und Institutionen geht. Ganz gleich, ob man 30, 40 oder
50 Jahre alt ist – so wie man gezwungen ist, Geld für das Alter
zurückzulegen, so muss man mentale, körperliche und ästhe-
tische Maßnahmen ergreifen, die etwas anderes sichern als
den Lebensunterhalt, die Identität. Die Ohio-Studie hat gezeigt, dass wir damit den nachfolgenden Generationen das
Wertvollste hinterlassen, was wir ihnen geben können: ein
von Selbsthass befreites Bild des eigenen Alterns.

Unsere Kinder, denen man eine Lebenserwartung von 100

Jahren verspricht, müssen den goldenen Schnitt ihres Lebens ganz neu berechnen. Wir Heutigen sind Kundschafter und Übergangsgeneration, eingespannt zwischen zwei verschiedenen Zeitebenen. Doch wir, die wir heute alle aus einem schon sehr vergangenen Jahrhundert stammen, könnten zu jenen gehören, die, wie der Romanist Hans-Ulrich Gumbrecht unlängst formulierte, die »allzu säuberliche Trennung von Philosophie einerseits und Theologie andererseits« aufzuheben beginnen.[140]

Der unaufhaltsame Prozess der Ablösung und Abkoppelung von dem, was wir im 20. Jahrhundert gelernt haben, ist in vollem Gange. Wir können damit rechnen, ohne Weltkrieg alt zu werden. Unsere Verantwortung gegenüber unseren Nachkommen besteht nicht darin, dass wir ewig jung bleiben, und nicht darin, dass wir unser Altern leugnen oder uns selbst abschaffen, unsichtbar machen, verstecken. Unsere Aufgabe besteht in einer großen Kalenderreform unseres sozialen Lebens. Sie besteht in der Bekämpfung des Altersrassismus, wenn nötig auch zunächst mit den Mitteln der »political correctness«. Und sie besteht angesichts der selbst erfüllenden Funktion von Vor- und Selbstbildern darin, dass wir künftigen Generationen die Macht des Alters vorleben.

Der politische Slogan, dass wir an unsere Enkel denken müssen, ist, wie der Dichter Gottfried Benn hellsichtig vermerkte, »Selbstaufgabe und Verschiebung geistiger Verantwortung in unbestimmte Epochen«: »Keine schöpferische Epoche dachte an die Enkel, sie schuf vielmehr Ausdruck und Form für den eigenen Gehalt. Nur wo dieser fehlt, werden die Enkel kreiert... die große Ablenkung der Ahnen von ihrem eigenen Tun und Tran.«[141] Diese große Ablenkung, diese Zeitverschwendung können wir uns nicht mehr leisten; das Uhrwerk ist längst in Gang gesetzt, denn wenn es in den nächsten

198

Jahrzehnten den allmählich alternden Babyboomern nicht gelingt, die Stereotypen des Alters aufzubrechen, wird allein schon die emotionale Krise einer Gesellschaft, deren Hälfte in Altersangst lebt, unsere Lebensfreude ersticken.

Erst indem wir das Bild des Alterns entgiften, es von den industriellen Kontaminationen eines immer das Neueste konsumierenden Marktes befreien, können wir in einer zunehmend diesseitigen Welt übrigens auch auf Nachwuchs und Fortpflanzung rechnen. Im Unterschied zu globalen Veränderungen der Umwelt, so schreibt der Bevölkerungsexperte Herwig Birg, »beruhen alle demographisch bedingten Probleme ausnahmslos auf den Verhaltenweisen der Menschen. Die Menschen haben es also in der Hand, die Zukunft ihrer gesellschaftlichen und sozialen Mitwelt ganz nach ihren Vorstellungen zu formen.«[142]

Jeder kennt das Gefühl, täglich, ja stündlich Lebenszeit zu verschwenden. Die »verlorenen Jahre«, die drei Generationen von zwei Kriegen geraubt worden waren, wandelten sich zu verlorenen Tagen und Stunden. Während die Gewerkschaften mehr Freizeit erstritten, wurde die seelische Zeit zur bedrohten Ressource. Fernsehen und Computer gelten als Zeitfresser; noch heute strahlen sie schlechtes Gewissen ab, weil sie von Dingen abhalten, die über Jahrhunderte dazu dienten, Zeit zu füllen: Lernen, Lesen, Erziehen, Reden, Ruhen.

Diese Sorgen sind Beunruhigungen des vergangenen Jahrhunderts. Für uns geht es nicht mehr um die Verschwendung der Abende im Wohnzimmer; es geht um die Vergeudung von Lebenszeit schlechthin. Als der Verkehr wuchs, bauten wir mehr Straßen, als wir die Lüfte eroberten, bauten wir Flughäfen, wir haben unsere Häuser und Wohnungen verändert, damit mehr Menschen besser darin wohnen können, und als immer mehr Informationen zu immer mehr Menschen transportiert werden mussten, haben wir dafür gesorgt, dass die Daten überall und zu jeder Zeit ihren Weg vom Absender zum Adressaten finden. Wir haben für alles einen Weg, ein Gehäuse, einen Speicher, ein Netz oder eine Institution gefunden.

Stellen Sie sich vor, wir hätten alles, was wir haben: schnelle Autos, super Benzin, Termine, großen Zeitdruck – aber leider nur das Straßennetz des Dreißigjährigen Krieges. So verhält es sich mit unserer Lebenszeit und unseren Lebensläufen. Unsere Lebensläufe sind auf eine um die Hälfte kürzere, evolutionär optimierte Lebensspanne zugeschnitten. Wir alle sind aus den Lebenszeitmodellen herausgewachsen wie Kinder aus ihren Kleidern.

Schauen Sie in ein Gesicht. Zum Beispiel in ein Selbstporträt Rembrandts. Ein Kunsthistoriker, ein Psychologe, ein Neurologe haben versucht, Rembrandts Selbstwahrnehmung aus den Jahren 1629, 1650 und 1669 mit Kategorien der Altersforschung zu lesen. Sie haben entziffert, was auch dem naiven Blick erkennbar wird. Die Physiognomie auf den Bildern altert. Aber mit ihr altert auch das zweite Gesicht, die Vision, die Idee des Bildes, die mehr ist als ein Bild. Der alte, 63-jährige Rembrandt zeigt sich in einer dramatischen Tiefe und Brechung, die Generationen von Betrachtern ergriffen hat.[143] Die Weisheit der Informationsgesellschaft wäre es, diesen Blick auf Menschen und Gesichter zu lernen, ohne abgeschreckt zu werden. Es würde genügen, interessiert zu sein. Die Künste haben es uns vorgemacht, wie man Sehgewohnheiten und jahrtausendealte festgefügte Bilder und Stereotypen verändern kann.

Wir müssen verlernen, was unsere Kultur und unsere Biologie uns über das Altern eingaben. Sie haben, um es trivial auszudrücken, nicht mehr Recht. Es ist vorbei mit der unbestrittenen Herrschaft der Jugend über das Alter. Aber es ist auch vorbei mit dem klassischen Altenteil. Der Literaturkritiker und Philosoph Robert Pogue Harrison hat in seinem Essay *Die Herrschaft der Toten* gezeigt, wie diese Befreiung von den Programmierungen der Vergangenheit geschehen kann. Es geht nicht darum, sich der Vergangenheit zu unterwerfen. Es geht darum, mit ihr und mit der Zukunft so in Beziehung zu treten, wie wir das mit unseren Vorfahren und unseren Kindern tun, mit den Menschen tun, die einst lebten oder die künftig leben werden. »Sich selbst zu einem Sterblichen machen, bedeutet, dass man lernt, als ein sterbendes Geschöpf zu leben, oder genauer: Es bedeutet zu lernen, wie man die eigene Sterblichkeit zur Grundlage seiner Beziehung zu denen macht, die das Leben weitertragen werden, aber auch zu denen, die schon gestorben sind.«[144] Die Ausbeutung der schöpferischen Kraft des Alters und die Bewahrung, die Hege und Pflege von Lebenszeit, der Schutz also der beiden am meisten verschwendeten Ressourcen unserer Zeit, verlangt viel von uns. Keine andere Generation stand in ihrer zweiten Lebenshälfte vor einer vergleichbaren Aufgabe.

Ein paar Mitwisser des Komplotts

Keine zehn Jahre nach dem Zweiten Weltkrieg hielt der deutsche Dichter Gottfried Benn einen berühmt gewordenen Vortrag unter dem Titel *Altern als Problem für Künstler.* Der Titel wirkt noch heute provozierend. Immerhin waren im Zweiten Weltkrieg ganze Generationen um das Privileg des Alterns gebracht worden. Aber Benn ging es in Wahrheit um das Klischee vom Frühverstorbenen, um den kulturellen Stereotyp, wonach Jugend genial und schöpferisch, das Alter aber stumpf und konsumierend ist.

»Es ist ganz erstaunlich«, sagte der damals schon über 70-jährige Dichter, »es ist im höchsten Maße überraschend, wie viel Alte und Uralte es unter den großen Berühmtheiten gibt.«

»Ich nenne Ihnen jetzt ganz kurz, nur mit Namen und Lebensalter dahinter, zunächst Maler und Bildhauer: Tizian 99, Michelangelo 89, Frans Hals 86, Goya 82, Hans Thoma 85, Liebermann 88, Munch 81, Degas 83, Bonnard 80, Maillol 83, Donatello 80, Tintoretto 76, Rodin 77, Käthe Kollwitz 78, Renoir 78, Monet 86, James Ensor 89, Menzel 90

Von Dichtern und Schriftstellern: Goethe 83, Shaw 94, Hamsun 93, Maeterlinck 87, Tolstoi 82, Voltaire 84, Heinrich Mann 80, Ebner-Eschenbach 86, Pontoppidan 86, Heidenstam 81, Swift, Ibsen, Björnson, Rolland 78, Victor Hugo 83, Tennyson 83, Ricarda Huch 83, Gerhart Hauptmann 84, Lagerlöf 82, Gide 82, Heyse 84, D'Annunzio 75, Spitteler,

Fontane, Gustav Freytag 79, Frenssen 82 – unter den Lebenden: Claudel 85, Thomas Mann, Hesse, Schröder, Döblin, Carossa, Dörffler über 75, Emil Strauß 87

Große Musiker gibt es ja weniger. Ich nenne Verdi 88, Richard Strauss 85, Pfitzner 80, Heinrich Schütz 87, Monteverdi 76, Gluck, Händel 74, Bruckner 72, Palestrina 71, Buxtehude, Wagner 70, Georg Schumann 81, Reznicek 85, Auber 84, Cherubini 82.«

Danksagung

Die Vorarbeiten zu diesem Buch gehen auf das Jahr 1999 zurück, als absehbar war, dass das neue Jahrhundert im Zeichen des Alterns stehen wird. Damals begannen wir in der *Frankfurter Allgemeinen Zeitung* damit, Schriftsteller und Schriftstellerinnen nach ihrem persönlichen Altern zu fragen. Wir wollten herausfinden, ob die große Zäsur des Jahrtausends das Altern schwerer oder leichter macht. Wie nicht anders zu erwarten, machte das Gefühl, einen historischen Zeitsprung mitzuerleben, gar nichts leichter.

Seither nutzte ich das Privileg, mit vielen Wissenschaftlern, Journalisten und Künstlern über das Problem des Alterns zu reden. Dabei wurde immer klarer, dass unser aller Altersphobie vor einer grundlegenden Umdeutung, ja Revolution stehen würde. Dieses Buch ist nichts anderes als ein erster seismographischer Ausschlag jenes Bebens, das unsere Welt und unser Lebensgefühl für immer verändern wird.

Ich danke all denen, die mir mit Rat, Tat und E-Mails halfen. Vor allem danke ich Stephan Sahm und Joachim Müller-Jung für medizinische und bioethische Unterrichtung, Wolf Singer für im Ganzen eher beruhigende Hinweise zum Gehirn und seiner Effizienz im Alter, Craig Venter für die Unterweisung in Fragen des genetischen Alterns, Monika Stützel und Rainer Flöhl, die mir die Türen der Praktiker öffnen halfen, Dieter Gorny für Ausflüge in die Popkultur, Hans Magnus Enzensberger, der mich lehrte, Kreativität und Altern zu verstehen, James Vaupel und seinen Mitarbeitern vom Max-

Planck-Institut für Demographie für die Erlaubnis, ihre Grafiken zu übernehmen, Matthias Landwehr für sein Gottvertrauen, und vor allem und zuerst Rebecca Casati, die mir unverdrossen die Zusammenhänge von Lebensalter und Popkultur erklärte. Alle haben mir geholfen, aber keiner hat die Verantwortung für meine Interpretationen und Fehler.

205

Anmerkungen

[1] Vgl. P. Schimany: *Die Alterung der Gesellschaft. Ursachen und Folgen des demographischen Umbruchs,* Frankfurt 2003, S. 291.

[2] Y. Zeng/L. George: »Family Dynamics of 63 Millions to more then 330 Million (in 2050) Elders in China«, in: *Demographic Research,* Vol. 2, Art. 5, http://www.demographic-research.org/volumes/vol2/5/html/default.htm.

[3] Zur Methodendiskussion und dem (überholten) Einwand, der große Sprung in der Lebenserwartung sei durch die Behebung der Kindersterblichkeit und Seuchenprävention gelungen, siehe http://www.sciencemag.org/cgi/content/full/296/5570/1029/DC1.

[4] Vgl. Schimany, *Alterung,* S. 363.

[5] Statistisches Bundesamt, Erklärung zur Bevölkerungsentwicklung Deutschland, 6. Juni 2003.

[6] M. Gendell: »Boomers Retirement Wave Likeley to Begin in Just 6 Years«, in *Population Today* (Population Reference Bureau), April 2002.

[7] Zum Versagen der Politik hat sich Herwig Birg geäußert: »In den 90er Jahren des vorigen Jahrhunderts hat der Deutsche Bundestag durch die Einberufung einer Enquete-Kommission zur Untersuchung des demographischen Wandels in der Öffentlichkeit den Eindruck erweckt, als ob Parlament und Regierung die Aufgabe für wichtig hielten, den Bürgern Informationen über die demographischen Perspektiven ihres Landes zugänglich zu machen, ja sogar darauf aufbauende politische Entscheidungen vorzubereiten. Der Eindruck trog, die Kommissionsarbeit verlief im Sande. Trotz vieler Proteste kam nicht einmal ein Abschlussbericht über die Ergebnisse der Kommissionsarbeit zustande. Die Zwischenberichte bestehen lediglich aus Kopien von Gutachten oder aus Zusammenstellungen der Ergebnisse von Forschungsberichten in Kurzform, aber der Versuch, aus den Erkenntnissen politische Schlussfolgerungen abzuleiten und eine gedankliche Konzeption für das politische Handeln zu entwickeln, wurde gar nicht erst unternommen… Die Verzögerung der Aufklärung hat fatale Folgen, denn wenn sich ein demographischer Prozess wie die niedrige Geburtenrate erst einmal ein Vierteljahrhundert lang in die falsche Richtung entwickelt hat, dauert es ein Dreivierteljahrhundert, um ihn wieder umzulenken.« H. Birg: *Die demographische Zeitenwende. Der Bevölkerungsrückgang in Deutschland und Europa,* München 2001, S. 198 f.

[8] So das *Spiegel Jahrbuch 2004* (Jahrbuch 2004. Die Welt in Zahlen, Daten, Analysen), München 2003, S. 498 ff.

[9] Berliner Institut für Weltbevölkerung und globale Entwicklung, *Newsletter*, 9. Oktober 2003: » *Wölfe statt Menschen*«.

[10] J. Vaupel: »Testimony before the Senate Special Committee on Aging«. Hearing on *The Future of Longevity: How Important are Markets and Innovation?*, Washington, 3. Juni 2003 (Manuskript).

[11] J. Vaupel: »Setting the Stage. A Generation of Centenarians?«, in: *The Washington Quarterly*, 23:3, S. 197.

[12] Vgl. G. M. Martin: »Biology of Aging: The State of the Art«, in: *The Gerontologist*, 43 (2003), S. 272-274.

[13] L. Hayflick: »The Future of Aging«, in: *Nature*, Vol. 408. November 2000, S. 267.

[14] Es sind die Geisteswissenschaftler, die an diesem Punkt der Argumentation gerne auf das Zweite Gesetz der Thermodynamik verweisen, wonach in geschlossenen Räumen die Entropie zunehmen muss. Tom Kirkwood hat den beliebten Smalltalk-Einwand schon vor einiger Zeit beantwortet: »Das Zweite Gesetz der Thermodynamik handelt von geschlossenen Systemen... Organismen wie Sie und ich sind nicht geschlossen. Wir sind offen. Um es grob zu sagen: Wir haben an jedem Ende ein Loch. Wir schlucken etwas, und wir scheiden etwas aus. Dabei entnehmen wir ständig etwas unserer Umgebung. Das ist Energie, und Energie kann genutzt werden, um Entropie zu bekämpfen.« Vgl. T. Kirkwood: *Zeit unseres Lebens. Warum Altern biologisch unnötig ist.* Berlin 2000, S. 70.

[15] Die Lebenserwartung ist nicht zu verwechseln mit der Lebensspanne, d. h. die Anzahl von Jahren, die ein Mensch objektiven Quellen zufolge gelebt hat. Vgl. M. Allard/V. Lebre/JM Robine/J. Calment: Jeanne Calment: *From Van Gogh's Time to Ours: 122 Extraordinary Years*, New York 1998.

[16] J. Oeppen/J. Vaupel: »Broken Limits to Life Expectancy«, in: *Science*, Vol. 296, Mai 2002, S.1029-1031. Natürlich wissen die Verfasser, unter ihnen der Direktor des Max-Planck-Instituts für Bevölkerungsforschung, dass das nicht heißt, unsterblich zu werden: »Bescheidene jährliche Zuwachsraten in der Lebenserwartung werden nicht zur Unsterblichkeit führen. Dennoch ist verblüffend, dass Hundertjährige eine Selbstverständlichkeit schon unter den heute Lebenden sein werden.« »Wenn die Lebenserwartung nahe am Maximum wäre, würde der Zuwachs an Rekord-Lebenserwartung abnehmen. Er tut es nicht.«

[17] R. Brookmeyer/S. Gray/C. Kawas: »Projections of Alzheimer's Disease in the United States and the Public Health Impact of Delaying Desease Onset«, in: *American Journal of Public Health*, 1998, Vol. 88, S. 1337-1342.

[18] T. Kirkwood: *Zeit unseres Lebens*, S. 9.

[19] So sehr eindrücklich Axel Börsch-Supan: »Global Aging an der Jahrtau-

sendwende: Die demographischen Herausforderungen des 21. Jahrhunderts«, Mannheim 2002. http://www.mea.uni-mannheim.de/mea_neu/pages/files/nopage_pubs/dp14.pdf.

[20] So wörtlich Sigrun-Heide Filipp und Anne-Kathrin Mayer im Resümee ihres großen Forschungsberichts *Bilder des Alters, Alterstereotype und die Beziehungen zwischen den Generationen,* Stuttgart 1999, S. 277.

[21] Dazu gibt es insbesondere in den USA eine so große Anzahl subjektiver Beschreibungen und objektiver Berichte, dass man sich nur noch über die Gottergebenheit wundern kann, mit der wir alle in unser Alter ziehen. Vgl. auch U.M. Staudinger/A.M. Freund/M. Linden/I. Maas: »Selbst, Persönlichkeit und Lebensgestaltung im Alter: Psychologische Widerstandsfähigkeit und Vulnerabilität«, in: *Berliner Altersstudie,* Berlin 1999, S. 321-350.

[22] B. R. Levy/M. D. Slade/S. R. Kunkel/Stanislav Kasl: »Longevity Increased by Positive Self-Perceptions of Aging«, in: *Journal of Personality and Social Psychology,* 2002, Vol. 83, No. 2, S. 261-270.

[23] Statement of Paul R. Greenwood, Deputy District Attorney, Head of Elder Abuse Prosecution Unit, San Diego, DA's Office, in: *Saving our Seniors* Senatsausschussanhörung, 14. Juni 2001.

[24] Zit. bei H. Schlaffer: *Das Alter. Ein Traum von Jugend,* München 2003, S. 18.

[25] Euripides, *Hiketiden,* 1108-1112 f. Vgl. G. Gutsfeld/W. Schmitz: *Am schlimmen Rand des Lebens? Altersbilder in der Antike,* Köln 2003, S. 69.

[26] A. Lyman/M. Edwards: »Poetry: Life Review for Frail American Indian Elderly«, in: *Journal of Gerontological Social Work,* (1989),14, S. 75-91. Vgl. J. Kotre: »Weiße Handschuhe«, in: *Wie das Gedächtnis Lebensgeschichten schreibt,* München 1996, S. 228 f.

[27] T. Roszak: »America the Wise: Boomers, Elders and the Longevity Revolution«, Adress at the American Society on Aging, 46th Annual Meeting, San Diego 2002.

[28] Zur Frage der Genauigkeit der demographischen Annahme vgl. auch M. Bretz: »Zur Treffsicherheit von Bevölkerungsvorausberechnungen«, in: *Wirtschaft und Statistik,* 11/2001, S. 906-921.

[29] H. Birg: *Die demographische Zeitenwende. Der Bevölkerungsrückgang in Deutschland und Europa,* München 2001, S. 89.

[30] Schimany, *Alterung,* S. 288.

[31] vgl. Peterson: »Gray Dawn: The Global Aging Crisis«, in: *Foreign Affairs,* Vol. 78, No 1 (1999), S. 44.

[32] Die genannten Ergebnisse stammen aus der 10. Koordinierten Bevölkerungsvorausberechnung; sie beziehen sich jeweils auf die Gesamtbevölkerung (Deutsche und Ausländer zusammen). Diese Vorausberechnung wurde in 9 Varianten – kombiniert aus jeweils einer niedrigen, mittleren und hohen Annahme zur Lebenserwartung und zum Wanderungsgesche-

hen (jährlicher Wanderungssaldo von etwa 100 000 bzw. 200 000 bzw. (ab 2011) 300 000 Personen) – erstellt; dabei wurde von einer konstanten Geburtenhäufigkeit von 1,4 Kindern je Frau ausgegangen. Die mittlere Variante (Variante 5) umfasst die mittlere Annahme zur Lebenserwartung und zur Wanderung. Die Variante mit der stärksten Alterung (Variante 7) setzt sich aus den Annahmen einer niedrigen Wanderung und einer hohen Zunahme der Lebenserwartung zusammen; die Variante mit der geringsten Alterung (Variante 3) aus den Annahmen mit hoher Wanderung und niedriger Zunahme der Lebenserwartung. Die niedrigste Bevölkerungszahl (Variante 1) ergibt sich bei niedriger Steigerung der Lebenserwartung und niedriger Zuwanderung, diejenige mit der höchsten Bevölkerungszahl aus hoher Steigerung der Lebenserwartung und hoher Zuwanderung. Alle anderen Angaben aus Birg: *Zeitenwende*, S. 108-136. Zur Kritik daran und am Statistischen Bundesamt vgl. G. Bosbachs einschlägige Kommentare, die im Internet unter »Sozialforum Dortmund« zu finden sind.

[33] Birg, *Zeitenwende*, S. 125.

[34] 8. bzw. 9. Bevölkerungsvorausberechnung des Statistischen Bundesamts (Variante 2); vgl. Schimany, *Alterung*, S. 268.

[35] *Frankfurter Allgemeine Zeitung*, Nr. 12, 25. Januar 1997, S. 5; vgl. C. Conrad: »Die Sprache der Generationen und die Krise des Wohlfahrtstaates«, in: J. Ehmer/P. Gutschner: *Das Alter im Spiel der Generationen. Historische und sozialwissenschaftliche Beiträge*, Wien 2000, S. 56.

[36] J. Vaupel, »A Generation of Centenarians«, in: *Washington Quarterly*, 23:3, 2000, S. 199.

[37] N. Struss/O. Wintermann: *Der Schuldenfalle entkommen. Determinanten öffentlicher Verschuldung und Strategien zur Sicherstellung finanzieller Nachhaltigkeit*, Bertelsmann Stiftung, Gütersloh 2003.

[38] S. Huntington: *Kampf der Kulturen. Die Neugestaltung der Weltpolitik im 21. Jahrhundert*, München 2002, S. 184 f.

[39] Im Jahre 2000: Italien 24,2 %; Griechenland 23,9 %; Deutschland 23,2 %; im Jahre 2050: Spanien 43,2 %, Italien 41,2 %.

[40] Schimany, *Alterung*, S. 289.

[41] Birg, *Zeitenwende*, S. 123.

[42] Birg, *Zeitenwende*, S. 134: »Der Altenquotient (nach der hier vorwiegend gebrauchten Definition mit den Altersschwellen 20/60) würde in Deutschland jedoch auch bei hohen Einwanderungen z. B. schon bis 2050 von 39,8 auf 90,7 steigen.«

[43] Ebenda.

[44] Apuleius: *Apologia* 371, 1-3; vgl. Gutsfeld/Schmitz, *Am schlimmen Rand*, S. 77.

[45] P. Borscheid: »Alltagsgeschichte«, in: B. Jansen/F. Karl/H. Radebold/R. Schmitz-Scherzer: *Soziale Gerontologie. Ein Handbuch für Praxis und Lehre*, Weinheim 1999, S. 127-131.

210

46 Gutsfeld/Schmitz: *Am schlimmen Rand*, S. 16.

47 P. G. Peterson: *Gray Dawn*, S. 50 f.

48 *Demographischer Wandel aus Sicht der Bundesbürger*, forsa-Umfrage im Auftrag der Bertelsmann-Stiftung, Gütersloh, Mai 2003; www.bertels-mann-stiftung.de

49 P. G. Peterson: *Gray Dawn*, S. 43.

50 K. Dychtwald: *Age Power. How the 21ˢᵗ Century Will be Ruled by the New Old*, New York 2000, S. 21.

51 K. Dychtwald: *Age Power*, S. XVI.

52 F. Brock: »Assisted Living to Viagra: A Dictionary Nod to Aging«, in: *New York Times*, 9. November 2003.

53 K. Lorenz, *Das sogenannte Böse. Zur Naturgeschichte der Aggression*, Wien 1963, S. 195.

54 *Berliner Alterstudie*, S. 231.

55 Und zwar in einem Fall – es handelt sich ja um homoerotische Leiden-schaften –, wo der Fortpflanzungsauftrag geradezu absurd wäre.

56 J. Huizinga: *Herbst des Mittelalters. Studien über Lebens- und Geistes-formen des 14. und 15. Jahrhunderts in Frankreich und in den Nieder-landen*, Stuttgart 1975, S. 194.

57 D. Lang: »Baby Boomers, Beware: What You're Thinking Could Kill You«, BoomerCareer.com, Allegiant Media, 7.10.2003.

58 Osler empfahl in Anlehnung an eine Novelle von Trollope, dass Sechzig-jährige dann schließlich mit Chloroform umgebracht werden sollten. In der sich daran entzündenden Kontroverse wurde später behauptet, er habe nur einen Witz machen wollen. Vgl. L. D. Hirshbein: »William Osler and the Fixed Period«, in: *Archives of Internal Medicine*, Vol.161, Sept. 2001, S. 2074-2078.

59 Schimany, *Alterung*, S. 321.

60 S.-H. Filipp/A.-K. Mayer: *Bilder des Alters. Altersstereotype und die Beziehungen zwischen den Generationen*, Stuttgart 1999, S. 184.

61 B. Rosen/T. H. Jerdee: »The Nature of Job Related Age Stereotypes«, in: *Journal of Applied Psychology*, 61, S. 180-183; vgl. Filipp/Mayer S. 185.

62 Filipp/Mayer, S.191; die Autorinnen verweisen auf die sehr aufschluss-reiche Studie von P. Warr: »Age and Job Performance«, in: J. Snel/R. Cre-mer: *Work and Aging: A European Perspective*, 1994, S. 377-380.

63 Hirshbein weist darauf hin, dass Osler ein Männlichkeitsverständnis ins Herz traf, das sich durch den Beruf definierte.

64 Schimany, *Alterung*, 321 f.

65 Filipp/Mayer, *Bilder*, S. 209 f.

66 R. Dilley: »Ageism Hits Generation X?«; *BBC News*, Dienstag, 10. Juni 2003.

67 J. Vaupel: »Setting the Stage: A Generation of Centenarians?«, in *The Washington Quarterly*, 23:3 (2000), S. 199.

[68] Ich bin mir der Gegenbeispiele bewusst, die mir entgegengehalten werden können. Sie werden aber nichts an der Uneinheitlichkeit der Befunde ändern. Alte kommen in der Tradition immer nur gut weg, wenn die Interessenlage der Jungen es erlaubt. Prinzipiell stören sie und sollen lieber heute als morgen abtreten. Ciceros Rede über das Altern, die in seinem Werk eher eine Randexistenz führt, taugt heute zur Aufmunterung bei Betriebsjubiläen oder runden Geburtstagen, hat aber nirgendwo eine prägende Kraft entfaltet. Vergleiche zu dem Komplex die soeben erschienene hervorragende Darstellung von Gutsfeld/Schmitz (Hrsg.): *Am schlimmen Rand des Lebens? Altersbilder der Antike*, Köln 2003, wo auch Sparta als klassische Gerontokratie diskutiert wird.

[69] A. Gutsfeld/W. Schmitz (Hrsg.): *Am schlimmen Rand.*

[70] I. Svevo: *Der alte Mann und das schöne Mädchen*, Berlin 1998.

[71] Natürlich gibt es Ausnahmen im Film, auch Feldstudien zu traditionellen Gerontokratien, wie sie etwa in Navrongo bestehen. Siehe: T. Kirkwood: *Zeit unseres Lebens*, Berlin 2000, S. 270. Die Literatur von Svevo bis Hesse und Max Frisch kennt den alternden Helden, fast nie die alternde Frau. Der Autor der alternden Gesellschaft ist Beckett.

[72] Schimany, *Alterung*, S. 264.

[73] Ich finde es interessant, dass das selten gewordene Wort vom »Sinn des Lebens« heute in den aktuellen Schriften eines kundigen Ökonomen auftaucht. Und zwar bei Meinhard Miegel in seinem Buch *Die deformierte Gesellschaft. Wie die Deutschen ihre Wirklichkeit verdrängen*, München 2002. Dass ein angeblich staubtrockener Wirtschaftswissenschaftler an zentralem Ort die Frage nach dem Sinn des Lebens ganz neu stellt und sie nicht durch Konsum beantwortet sieht, ist der Kultur entgangen. Ich zitiere Miegel, der nicht im Verdacht literarischer Dramatisierung steht, auch mit folgendem Satz: »Steigt jedoch auch dann (im 22. Jahrhundert) die Geburtenrate nicht auf ein bestandserhaltendes Niveau, werden die Bevölkerungslücken so groß, dass sie in einer dicht bevölkerten Welt womöglich mit Gewalt von außen gefüllt werden.« M. Miegel: *Die deformierte Gesellschaft. Wie die Deutschen ihre Wirklichkeit verdrängen.* München 2002, S. 87.

[74] H. W. Sinn/S. Übelmesser: *When Will the Germans Get Trapped in Their Pension System*, ifo Institut München, August 2001.

[75] Zitiert bei Schimany, *Alterung*, S. 155.

[76] G. S. Freyermuth: »Im Unruhestand. Die neuen Alten rufen die Langlebigkeitsrevolution aus«, in: *c't* 25/99. Die Zahlen, die Freyermuth mit Blick auf diejenigen nennt, die länger als bis zum 60. oder 50. Geburtstag arbeiten wollen, müssen – nach dem Ende des High-Tech-Booms – nach unten korrigiert werden.

[77] Vgl. Schimany, *Alterung*, S. 363, der knapp feststellt: »Eigene Kinder stellen für Ältere den generationalen Kontakt zu Enkeln und Urenkeln dar, während alte Menschen ohne Kinder Verwandte in direkter Linie nur in

der eigenen Generation haben können, die sich mit zunehmendem Alter zwangsläufig immer mehr ausdünnt. Neben der Verwitwung hat Kinderlosigkeit daher einen zentralen Einfluss auf die Struktur und Funktion sozialer Beziehungen im Alter. Kinderlosigkeit kann im Anschluss an eine Verwitwung zu einer Kumulation sozialer Probleme bis hin zur Isolation führen.«

[78] D. Carlton: »Biometrics and the Prevention if Identiy Theft«, Testimony, Senate Special Committee on Aging, 18. Juli 2002.

[79] http://web.mit.edu/agelab/index.html

[80] C. Fox: »Technogenarian. The Pioneers of Pervasive Computing Aren't Getting Any Younger«, in: *Wired*, 9. November 2001.

[81] Foresight Panel: »Just Around the Corner«, London 24. März 2000.

[82] *Washington Post* vom 2. Mai 1991, S.c3.

[83] E. Emanuel/M. Batin: »What Are the Potential Cost Savings from Legalizing Physician-Assisted Suicide?«; in: *New England Journal of Medicine*, Vol. 339: 167-172, 16. Juli 1998. Zur juristischen Debatte vgl. die Ausführung von Böckenförde »Die Würde des Menschen war unantastbar«, in *Frankfurter Allgemeine Zeitung* vom 3. September 2003.

[84] Ausgangspunkt war das Urteil des Obersten Gerichtshofs der Vereinigten Staaten, die Entscheidung über lebensverkürzende Maßnahmen den Bundesstaaten zu überlassen.

[85] E. Emanuel/M. Batin: »What are the Potential Cost Savings from Legalizing Physician-Assisted Suicide?«, *New England Journal of Medicine*, Volume 339, (1998), S. 167-172.

[86] E. Jünger, *Der Arbeiter*, Gesamtausgabe Band VIII, Stuttgart 1981, S. 204.

[87] H. W. Sinn: »Die demographische Zeitbombe: Weniger Rente für Kindererziehung?«, in: *Frankfurter Allgemeine Zeitung* vom 11. September 2003.

[88] S.-H. Filipp/A. K. Mayer: *Bilder des Alters,* S. 138.

[89] *Süddeutsche Zeitung* vom 15. Oktober 2003.

[90] Zitiert nach S. Freud: *Gesammelte Werke*. Band X. Frankfurt/Main 1999 (Nachdruck der Londoner Ausgabe von 1946), S. 354 f. Ich danke Hans-Ulrich Gumbrecht für den Hinweis.

[91] Berichte über Vernachlässigungen von Patienten, verschleppte Operationen, radikale Altersbegrenzungen schon bei Augenoperationen, füllen mittlerweile Bände. Besonders auffällig sind Fälle, in denen nicht klar wird, ob der ältere Patient medizinische Betreuung gewissermaßen aus vorauseilendem Gehorsam abgelehnt hat. Vgl. zum Beispiel die viel diskutierte Studie zur Krebstherapie bei Älteren: N. J. Turner/R. A. Haward/G. P. Mulley/P. J. Selby: »Cancer in Old Age – is it Inadequately Investigated and Treated?«, *British Medical Journal* 1999, Vol. 319, S. 309-312.

[92] D. Callahan: »Death and the Research Imperative«, *The New England Journal of Medicine*, Volume 342 (2000), S. 654–656.

213

[93] G. West: *Charles Darwin. A Portrait,* New Haven 1938, S. 334. Vgl. die aktuelle Diskussion mit Blick auf die Biotechnologie in J. Rifkin: *Das biotechnische Zeitalter. Die Geschäfte mit der Gentechnik,* München 2000, S. 297.

[94] P. Baltes/U. Lindenberger/U. Staudinger: »Die zwei Gesichter der Intelligenz im Alter«, *Spektrum der Wissenschaften* 10, S. 52–61.

[95] G. Agamben: *Homo sacer. Die souveräne Macht und das nackte Leben,* Frankfurt 2002, S. 140.

[96] M. Carrigan: »Segmenting the Grey Market: The Case for fifty-plus Lifegroups«, in: *Journal of Marketing Practice: Applied Marketing Science* (1998), 4, 2, S. 43-56.

[97] S. S. Hall: *Merchants of Immortality. Chasing the Dream of Human Life Extension,* Boston/New York 2003.

[98] Vgl. A. Bartke: »Extending the Lifespan of Long-Lived Mice«, in: *Nature* 414 (2001) S. 412.

[99] D. Gems: »Is More Life Always Better? The New Biology of Aging and the Meaning of Life«, in: *Hastings Report* 33, Nr. 4 (2003), S. 31-39.

[100] Stephen S. Hall, *Merchants of Immortality.*

[101] Stephen S. Hall, *Merchants,* S. 2.

[102] George Williams: »Pleiotropy, Natural Selection and the Evolution of the Senescence«, in: *Evolution 11,* S. 398-411. In diesem Klassiker weist Williams auch darauf hin, dass Überleben und Altwerden nach der reproduktiven Periode nur in der Zivilisation und bei Haustieren bzw. von der Zivilisation profitierenden Tieren wie der Ratte beobachtet wird.

[103] S. J. Olshansky, L. Hayflick, B. A. Carnes, (2002a): »No Truth to the Fountain of Youth«, in: *Scientific American*; R.H. Binstock: »The War on Anti-Aging Medicine«, in: *The Gerontologist* 43 (2003), S. 4-14.

[104] W. Mair/P. Goymer/S. D. Pletcher/L. Partridge: »Demography of Dietary Restriction and Death in Drosophila«, in: *Science* 2003, 301, S. 1731.

[105] Fruchtfliegen und ihre Mutationen lassen sich im Internet schön studieren: http://www.exploratorium.edu/exhibits/mutant_flies/mutant_flies.html

[106] J. Müller-Jung: »Die Untoten«, in: *Frankfurter Allgemeine Zeitung* vom 29. Oktober 2003, *Natur und Wissenschaft N1.*

[107] Vgl. J.Vaupel/J.Carey/K.Christensen: »It's Never Too Late«, in: *Science* 19. September 2003, 301, S. 1679-1681.

[108] www.infinitefaculty.org/sci/cr/crs. Vgl. G. Stock: »Redesigning Humans. Our Inevitable Genetic Future«, Boston/New York 2002, S. 82. Eine Nachprüfung kurz vor Drucklegung dieses Buches hat ergeben, dass das Leben in dieser Internetgruppe offenbar erloschen ist.

[109] Kenneth G. Manton und XiLiang Gu: »Changes in the Prevalence of Chronic Disability in the United States Black and Nonblack Population Above Age 65 from 1982 to 1999«, in: *Proceedings of The National Academy of Sciences of the United States of America,* 98: 6354-6359; published online before print as 10.1073/pnas.111152298./ NIH News Release, 7. Mai 2001.

214

[110] M. Rees: *Unsere letzte Stunde. Warum die moderne Naturwissenschaft das Überleben der Menschheit bedroht*, München 2003, S. 147. Es ist merkwürdig, dass der große Rees ausgerechnet die harten Fakten dieses Artikels durcheinander bringt, nämlich Jahreszahlen und Orte.

[111] S. V. Ukraintseva/A. I. Yashin: »Individual Aging and Cancer Risk: How Are They Related«, in: *Demographic Research*, Vol. 9, Artikel 8, Max-Planck-Gesellschaft Okt. 2003;http://www.demographic-research.org.

[112] V. Kannisto: »The Advancing Frontier of Survival«, in: *Monographs on Population aging*, Vol. 3, Odense University Press 1996, http://www.demogr.mpg.de/Papers/Books/Monograph3/start.htm.

[113] Vgl. Vaupel: *Centenarians*, S. 198: »Vielleicht wird jedes Jahrzehnt, das wir überleben, eine neues Jahrzehnt der Biologie eröffnen, das uns erlaubt, ein weiteres Jahrzehnt zu leben. Das ist möglich – es ist unwahrscheinlich, aber möglich.«

[114] Stock, *Redesigning*, S. 80.

[115] Vgl. K. Wright: »Staying alive«, in: *Discover Magazine*, Vol. 24, Nr. 11, November 2003.

[116] D. Roberts: *Remarks*, Senate Special Committee on Aging, Image of Aging in Media and Marketing, 4. September 2002.

[117] Ebenda.

[118] D. Nelson: *Ageism. Stereotyping and Prejudice Against Older Persons*, Cambridge 2002, S. 31.

[119] J. M. Bishop/D. R. Krause: »Depictions of Aging and Old Age on Saturday Morning Television«, in: *The Gerontologist*, 24, S. 91-94.

[120] Ebenda.

[121] S.-H. Filipp/A.-K. Mayer: *Bilder des Alters*, S. 251. Ob soziales Lernen durch das Fernsehen die Prägung von Kindern beeinflussen kann oder die Haltung zu Älteren nicht biologisch codiert ist, wird weithin diskutiert. Vgl. Nelson: *Ageism*, S. 107.

[122] D. G. Bazzini/W. D. McIntosh/W. D. Smith/S. M. Cook/C. Harris: »The Aging Woman in Popular Film: Underrepresented, Unattractive, Unfriendly, and Unintelligent«, in: *Sex Roles*, 36 (7/8), S. 531-543.

[123] S. R. Sherman: »Images of Middle-Aged and Older Women. Historical, Cultural and Personal«, in: J. M. Coyle: *Handbook on Women and Aging*, Westport 1997.

[124] E. A. Kaplan: »Something Else Besides a Mother: Stella Dallas and the Maternal Melodram«, in: E. A. Kaplan: *Feminism in Film*, S. 466–487, New York 2000; vgl. D. M. Meehan: *Ladies of the Evening. Women Characters of Prime-time Television*, London 1983.

[125] S.-H. Filipp/A.-K. Mayer: »Bilder«, S. 227.

[126] Ebenda, S. 136.

[127] S. Kemper/S. Rash/D. Kynette/S. Norman: »Telling Stories: The Structure of Adults' Narratives«, in: *European Journal of Cognitive Psychology* (1990), 2, S. 205-228.

[128] N. Eldredge: *Wendezeiten des Lebens. Katastrophen in Erdgeschichte und Evolution*. Heidelberg/Berlin/Oxford 1994, S. 285.

[129] D. Nelson, *Ageism*, S. 16.

[130] E .B. Ryan: »Beliefs About Memory Across the Life Span«, in: *Journal of Gerontology: Psychological Science*, 1992, Vol. 47, S. 41-47; vgl. P. Stern/L. L. Carstensen: »The Aging of the Mind«, in: *Opportunities in Cognitive Research*, National Academy Press New York 2003.

[131] S. Kitayama: »Cultural Variations in Cognition: Implications for Aging Research«, in: *Aging of the Mind*, S. 218 f.

[132] P. B. Baltes: »Die zwei Gesichter der Intelligenz im Alter«, in: *Spektrum der Wissenschaft*, 10, S. 52–61.

[133] P. B. Baltes: »Das hohe Alter. Mehr Bürde als Würde?«, *Max-Planck-Forschungsmitteilungen*, 2/2003, S. 15-19.

[134] P. B. Baltes (Hrsg.), *Berliner Altersstudie*, S. 370.

[135] C. Simic: »Es ist immer drei Uhr«, in: *Frankfurter Allgemeine Zeitung* vom 29. März 2000, S. 49.
Auch abgedruckt in Thomas Steinfeld: *Einmal und nicht mehr*. Stuttgart 2001.

[136] J. Smith/Paul B. Baltes: »Altern aus psychologischer Sicht«, in: *Berliner Altersstudie*, S. 232; S.-H. Filipp/T. Klauer: »Conceptions of Self Over the Life-Span: Reflections on the Dialectics of Change«, in: M. Baltes/P. Baltes: *The Psychology of Control and Aging*, Hillsdale, NJ, S. 167-205.

[137] Zit. bei Schlaffer, S. 9.

[138] P. B. Baltes: »Gegen Vorurteile und Klischees: Die Berliner Altersstudie«, in: *Forum Demographie und Politik*, 10, S. 11–20. Diese Zufriedenheit schwächt sich im hohen Alter ab, allerdings: »Zu den guten Nachrichten über das Alter kann man auch zählen, dass im Hinblick auf die geistige Gesundheit nur ein knappes Viertel der 70-Jährigen und Älteren psychiatrische Störungen aufweist und nur etwa ein Zehntel solche psychiatrischen Störungen, die mit Hilfsbedürftigkeit verbunden sind. Depressionen nehmen mit dem Alter nicht zu. Auch was die körperliche Gesundheit anbelangt, wäre die Gleichsetzung von Alter und Gebrechlichkeit irreführend. So sind fast die Hälfte der 70-Jährigen und Älteren frei von gravierenden Beschwerden über Einschränkungen des Bewegungsapparates, und selbst unter den 85-Jährigen und Älteren knapp die Hälfte frei von klinisch manifesten Gefäßkrankheiten. In Bezug auf die geistige und körperliche Gesundheit ist es darüber hinaus ein bemerkenswertes Ergebnis der Studie, dass wir im Hinblick auf Morbidität und Behandlungsbedürftigkeit kaum Unterschiede nach der Sozialschicht gefunden haben. Das ist vermutlich eine Auswirkung eines effektiven Krankenversicherungssystems und einer medizinischen Betreuung, die wenig nach Zahlungskraft und Versichertenstatus diskriminiert.« Man muss sich bei solchen Aussagen immer wieder bewusst machen, dass die hier befragten Alten aus Generationen stammen (zum Teil vor 1900 geboren), die sehr

216

viel genügsamer waren, als wir je sein werden. Umso erstaunlicher, welch negatives Image auch diese Generation hatte.

[139] Ebenda.

[140] Ich danke Hans-Ulrich Gumbrecht für die Überlassung seiner noch ungedruckten Rede »Die Zukunft unseres Todes« (2003).

[141] G. Benn: *Marginalien*, Gesammelte Werke Band II, München 1980, S. 251.

[142] H. Birg: *Die demographische Zeitenwende. Der Bevölkerungsrückgang in Deutschland und Europa*, München 2001, S. 13. Birgs »Fortpflanzungsethik«, die Pflicht zur Vermehrung, könnte man mit Benn »zur Weltanschauung erhobene Kinderzeugung unter Staatsdruck und à tout prix« nennen; als moralisches Konstrukt des 21. Jahrhunderts wirkt die Neuverkündung des biblischen Fortpflanzungsauftrags jedenfalls gegenwärtig noch unrealistisch.

[143] A. Rösler/M. Hofmann/M. Mackenzie/A. Harris/M. Mapstone: »Über Succesful Aging hinaus: Rembrandt in seinen Selbstbildnissen«, in: *Psychiatrische Praxis*, 2001, S. 88-90.

[144] R. P. Harrison: *The Dominion of The Dead*, Chicago 2003, S. 71. Hans-Ulrich Gumbrecht hat den Zusammenhang von Harrisons Todesthesen und dem alternden Amerika als Erster hergestellt.

Personenregister